講談社文庫

羊をめぐる冒険(上)

村上春樹

講談社

目次

第一章　1970/11/25　七
水曜の午後のピクニック　九
第二章　1978/7月　二五
1　十六歩歩くことについて　二七
2　彼女の消滅・写真の消滅・スリップの消滅　三八
第三章　1978/9月　四五
1　鯨のペニス・三つの職業を持つ女　四七
2　耳の開放について　七三
3　続・耳の開放について　七四
第四章　羊をめぐる冒険I　八三
1　奇妙な男のこと・序　八五
2　奇妙な男のこと　九四
3　「先生」のこと　一〇三
4　羊を数える　一〇九
5　車とその運転手(1)　一一五

6　いとみず宇宙とは何か？　一二〇
第五章　鼠からの手紙とその後日譚　一二七
1　鼠の最初の手紙　一九七七年十二月二十一日の消印　一二九
2　二番めの鼠の手紙　消印は一九七八年五月？日　一三七
3　歌は終りぬ　一四六
4　彼女はソルティー・ドッグを飲みながら波の音について語る　一六三
第六章　羊をめぐる冒険II　一七九
1　奇妙な男の奇妙な話(1)　一八一
2　奇妙な男の奇妙な話(2)　一九五
3　車とその運転手(2)　二一四
4　夏の終りと秋の始まり　二二〇
5　1/5000　二二五
6　日曜の午後のピクニック　二三四
7　限定された執拗な考え方について　二四五
8　いわしの誕生　二五五

羊をめぐる冒険（上）

第一章　1970／11／25

水曜の午後のピクニック

新聞で偶然彼女の死を知った友人が電話で僕にそれを教えてくれた。彼は電話口で朝刊の一段記事をゆっくりと読み上げた。平凡な記事だ。大学を出たばかりの駆けだしの記者が練習のために書かされたような文章だった。

何月何日、どこかの街角で、誰かの運転するトラックが誰かを轢《ひ》いた。誰かは業務上過失致死の疑いで取り調べ中。

雑誌の扉に載《の》っている短かい詩のようにも聞こえる。

「葬式はどこでやるんだろう？」と僕は訊ねてみた。

「さあ、わからないな」と彼は言った。「だいいち、あの子に家《うち》なんてあったのかな？」

もちろん彼女にも家はあった。

僕はその日のうちに警察に電話をかけて彼女の実家の住所と電話番号を教えてもらい、それから実家に電話をかけて葬儀の日取りを聞いた。誰かが言っているように、手間《てま》さえ惜しまなければ大抵のことはわかるものなのだ。

彼女の家は下町にあった。僕は東京都の区分地図を開き、彼女の家の番地に赤いボールペンでしるしをつけた。それはいかにも東京の下町的な町だった。地下鉄やら国電やら路線バスやらがバランスを失った蜘蛛《くも》の糸のように入り乱れ、重なりあい、何本かのどぶ川が流れ、ごてごてとした通りがメロンのしわみたいに地表にしがみついていた。

葬儀の日、僕は早稲田から都電に乗った。終点近くの駅で降りて区分地図を広げてみたが、地図は地球儀と同じ程度にしか役に立たなかった。おかげで彼女の家に辿《たど》りつくまでに幾つも煙草を買い、何度も道を訊ねねばならなかった。

彼女の家は茶色い板塀に囲まれた古い木造住宅だった。門をくぐると、左手には何かの役には立つかもしれないといった程度の狭い庭があった。庭の隅には使いみちのなくなった古い陶製の火鉢が放り出され、火鉢の中には十五センチも雨水がたまっていた。庭の土は黒く、じっとりと湿っていた。

彼女が十六の歳に家を飛び出したきり、というせいもあって、葬儀は身内だけのひっそりとしたものだった。参列者の殆んどが年寄りの親戚で、三十を過ぎたばかりの彼女の兄だか義理の兄だかが葬儀をとりしきっていた。

父親は五十代半ばの小柄な男で、黒い背広の腕に喪章を巻き、門のわきに立ったまま殆んど身動きひとつしなかった。彼の姿は洪水がひいた直後のアスファルト道路を思わせた。

僕が帰り際に黙って頭を下げると、彼も黙って頭を下げた。

僕がはじめて彼女に会ったのは一九六九年の秋、僕は二十歳で彼女は十七歳だった。大学の近くに小さな喫茶店があって、僕はそこでよく友だちと待ちあわせた。たいした店ではないけれど、そこに行けばハードロックを聴きながらとびっきり不味《まず》いコーヒーを飲むことができた。

彼女はいつも同じ席に座り、テーブルに肘《ひじ》をついて本を読み耽《ふけ》っていた。歯列矯正器のような眼鏡をかけて骨ばった手をしていたが、彼女にはどことなく親しめるところがあった。彼女のコーヒーはいつも冷《さ》めて、灰皿はいつも吸殻でいっぱいになっていた。本の題名だけが違っていた。ある時にはそれはミッキー・スピレインであり、ある時には大江健三郎であり、ある時には「ギンズバーグ詩集」であった。要するに本でさえあればなんでもいいのだ。店に出入りする学生たちが彼女に本を貸し与え、彼女はそれをとうもろこしでも囓《かじ》るみたいに片《かた》っ端《ぱし》から読んでいった。本を貸したがる人間ばかりいた時代だから、彼女は一度も本には不自由しなかったと思う。

ドアーズ、ストーンズ、バーズ、ディープ・パープル、ムーディー・ブルーズ、そんな時代でもあった。空気はどことなくピリピリしていて、ちょっと力を入れて蹴とばしさえすれば大抵のものはあっけなく崩れ去りそうに思えた。

我々は安いウィスキーを飲んだり、あまりぱっとしないセックスをしたり、結論のない話をしたり、本を貸したり借りたりして毎日を送っていた。そしてあの不器用な一九六〇年代もかたかたという軋《きし》んだ音を立てながらまさに幕を閉じようとしていた。

彼女の名前は忘れてしまった。

死亡記事のスクラップをもう一度ひっぱり出して思い出すこともできるのだけれど、今となっては名前なんてもうどうでもいい。僕は彼女の名前を忘れてしまった。それだけのことなのだ。

昔の仲間に会って、何かの拍子に彼女の話が出ることがある。彼らもやはり彼女の名前を覚えてはいない。ほら、昔さ、誰とでも寝ちゃう女の子がいたじゃないか、なんて名前だっけ、すっかり忘れちゃったな、俺も何度か寝たけどさ、今どうしているんだろうね、道でばったり会ったりしても妙なものだろうな。

――昔、あるところに、誰とでも寝る女の子がいた。

それが彼女の名前だ。

もちろん厳密に定義するなら、彼女は誰とでも寝たというわけではない。そこには彼女なりの規準が存在したはずだ。

とはいうものの現実問題として眺めてみれば、彼女は大抵の男と寝た。

僕は一度だけ、純粋な好奇心から、その規準について彼女に質問したことがある。

「そうねえ——」彼女は三十秒ばかり考え込んだ。「もちろん誰とでもいいってわけじゃないのよ。嫌だなって思う時もあるわ。でもね、結局のところ私はいろんな人を知りたいのかもしれない。あるいは、私にとっての世界の成り立ちかたのようなものをね」

「一緒に寝ることで？」

「うん」

今度は僕が考え込む番だった。

「それで……それで少しはわかったのかい？」

「少しはね」と彼女は言った。

六九年の冬から七〇年の夏にかけて、彼女とは殆んど顔を合わせなかった。大学は閉鎖とロックアウトをくりかえしていたし、僕は僕でそれとはべつにちょっとした個人的なトラブルを抱え込んでいたのだ。

七〇年の秋に僕がその店を訪れた時、客の顔ぶれはもうすっかり変っていて、知った顔は彼女ひとりという有様だった。あいかわらずハードロックこそかかってはいたものの、あのピリピリとした空気はもう消え失せていた。彼女と不味《まず》いコーヒーだけが一年前と同じだった。僕は彼女の向いの椅子に腰を下ろし、コーヒーを飲みながら、昔の連中の話をした。

彼らの多くは大学をやめていた。一人は自殺し、一人は行方をくらませていた。そんな話だ。

「一年間何をしてたの？」と彼女は僕に訊ねた。

「いろいろさ」と僕は言った。

「少しは賢くなったの？」

「少しはね」

そしてその夜、僕ははじめて彼女と寝た。

彼女の生いたちについて、僕はくわしくは知らない。誰かが教えてくれたような気もするし、ベッドの中で彼女自身の口から聞いたような気もする。高校一年生の夏に父親と大喧嘩して家を（ついでに高校を）とびだした、たしかそんな話だ。いったい何処《どこ》に住んでいるのか、何で生計を立てているのか、誰も知らなかった。

彼女は一日中ロック喫茶の椅子に座って何杯もコーヒーを飲み、際限なく煙草を吸い、本のページを繰《く》りながらコーヒー代と煙草代（当時の我々にとってはちょっとした金額だ）を払ってくれる相手が現われるのを待ち、そして大抵はその相手と寝た。

それが彼女について僕が知っている全てだった。

その年の秋から翌年の春にかけて、週に一度、火曜日の夜に彼女は三鷹のはずれにある僕のアパートを訪れるようになった。彼女は僕の作る簡単な夕食を食べ、灰皿をいっぱいにし、FENのロック番組を大音量で聴きながらセックスをした。水曜の朝に目覚めると雑木林を散歩しながらICUのキャンパスまで歩き、食堂に寄って昼食を食べた。そして午後にはラウンジで薄いコーヒーを飲み、天気が良ければキャンパスの芝生に寝転んで空を見上げた。

水曜日のピクニック、と彼女は呼んだ。

「ここに来るたびに、本当のピクニックに来たような気がするのよ」

「本当のピクニック？」

「うん、広々として、どこまでも芝生が続いていて、人々は幸せそうに見えて……」

彼女は芝生の上に腰を下ろし、何本もマッチを無駄にしながら煙草に火を点《つ》けた。

「太陽が上って、そして沈んで、人がやってきて、そして去って、空気みたいに時間が流れていくの。なんだかピクニックみたいじゃない？」

その時僕は二十一歳で、あと何週間かのうちに二十二になろうとしていた。当分のあいだ大学を卒業できる見込みはなく、かといって大学をやめるだけの確たる理由もなかった。奇妙に絡《から》みあった絶望的な状況の中で、何ヵ月ものあいだ僕は新しい一歩を踏み出せずにいた。

世界中が動きつづけ、僕だけが同じ場所に留まっているような気がした。一九七〇年の秋には、目に映る何もかもが物哀しく、そして何もかもが急速に色褪《いろあ》せていくようだった。太陽の光や草の匂い、そして小さな雨音さえもが僕を苛立たせた。

何度も夜行列車の夢を見た。いつも同じ夢だった。煙草の煙と便所の匂いと人いきれでムッとした夜行列車だ。足の踏み場もないほど混みあっていて、シートには古い反吐《へど》がこびりついている。僕は我慢しきれずに席を立ち、どこかの駅に下りる。それは人家の灯りひとつ見えぬ荒涼とした土地だった。駅員の姿さえない。時計も時刻表も、何もない——そんな夢だった。

そんな時期に、何度か彼女に辛くあたったような気がする。どんな風にあたったのか、今となってはうまく思い出せない。あるいは僕が僕自身にあたっていただけなのかもしれない。しかしいずれにせよ、彼女はそれが一向に気にならない様子だった。あるいは（極端に言うなら）、それを結構楽しんでもいた。何故だかはわからない。結局のところ彼女が僕に求めていたのは優しさではなかったのだろう。そう思うと、今でも不思議な気持になる。空中に浮かんだ目に見えぬ壁にふと手を触れてしまったような悲しい気持になる。

一九七〇年十一月二十五日のあの奇妙な午後を、僕は今でもはっきりと覚えている。強い雨に叩き落とされた銀杏《いちょう》の葉が、雑木林にはさまれた小径《こみち》を干上った川のように黄色く染めていた。僕と彼女はコートのポケットに両手をつっこんだまま、そんな道をぐるぐると歩きまわった。落ち葉を踏む二人の靴音と鋭い鳥の声の他には何もなかった。

「あなたはいったい何を抱えこんでいるの？」と彼女が突然僕に訊ねた。

「たいしたことじゃないよ」と僕は言った。

彼女は少し先に進んでから道ばたに腰を下ろし、煙草をふかした。僕もその隣りに並んで腰を下ろした。

「いつも嫌な夢を見るの？」

「よく嫌な夢を見るよ。大抵は自動販売機の釣り銭が出てこない夢だけどね」

彼女は笑って僕の膝に手のひらを置き、それからひっこめた。

「きっとあまりしゃべりたくないのね?」

「きっとうまくしゃべれないことなんだ」

彼女は半分吸った煙草を地面に捨てて、運動靴で丁寧に踏み消した。「本当にしゃべりたいことは、うまくしゃべれないものなのね。そう思わない？」

「わからないな」と僕は言った。

ばたばたという音を立てて地面から二羽の鳥がとびたち、雲ひとつない空に吸い込まれるように消えていった。我々はしばらく鳥の消えたあたりを黙って眺めていた。それから彼女は枯れた小枝で地面にわけのわからない図形を幾つか描いた。

「あなたと一緒に寝ていると、時々とても悲しくなっちゃうの」

「済まないと思うよ」と僕は言った。

「あなたのせいじゃないわ。それにあなたが私を抱いている時に別の女の子のことを考えているせいでもないのよ。そんなのはどうでもいいの。私が」彼女はそこで突然口を閉じてゆっくりと地面に三本平行線を引いた。「わかんないわ」

「べつに心を閉じているつもりはないんだ」と僕は少し間をおいて言った。「何が起ったのか自分でもまだうまくつかめないだけなんだよ。僕はいろんなことをできるだけ公平につかみたいと思っている。必要以上に誇張したり、必要以上に現実的になったりしたくない。でもそれには時間がかかるんだ」

「どれくらいの時間？」

僕は首を振った。「わからないよ。一年で済むかもしれないし、十年かかるかもしれない」

彼女は小枝を地面に捨て、立ち上がってコートについた枯草を払った。「ねえ、十年って永遠みたいだと思わない？」

「そうだね」と僕は言った。


我々は林を抜けてＩＣＵのキャンパスまで歩き、いつものようにラウンジに座ってホットドッグをかじった。午後の二時で、ラウンジのテレビには三島由紀夫の姿が何度も何度も繰り返し映し出されていた。ヴォリュームが故障していたせいで、音声は殆んど聞きとれなかったが、どちらにしてもそれは我々にとってはどうでもいいことだった。我々はホットドッグを食べてしまうと、もう一杯ずつコーヒーを飲んだ。一人の学生が椅子に乗ってヴォリュームのつまみをしばらくいじっていたが、あきらめて椅子から下りるとどこかに消えた。

「君が欲しいな」と僕は言った。

「いいわよ」と彼女は言って微笑《ほほえ》んだ。

我々はコートのポケットに手をつっこんだままアパートまでゆっくりと歩いた。

僕がふと目覚めた時、彼女は声を出さずに泣いていた。毛布の下で細い肩が小刻みに震えていた。僕はストーブの火を点《つ》け、時計を見た。午前二時だった。空のまんなかにまっ白な月が浮かんでいた。

彼女が泣きやむのを待ってから湯を沸かしてティーバッグで紅茶を淹《い》れ、二人でそれを飲んだ。砂糖もレモンもミルクもない、ただの熱い紅茶だ。それから二本ぶんの煙草に火を点《つ》けて一本を彼女にわたした。彼女は煙を吸いこんで吐きだし、それを三回つづけてからひとしきり咳《せ》きこんだ。

「ねえ、私を殺したいと思ったことある?」と彼女が訊ねた。

「君を?」

「うん」

「どうしてそんなことを訊くんだ?」

彼女は煙草を口にくわえたまま指の先で瞼《まぶた》をこすった。

「ただなんとなくよ」

「ないよ」と僕は言った。

「本当に？」

「本当に」

「何故僕が君を殺さなくちゃいけないんだ？」

「そうね」と彼女は面倒臭そうに肯《うなず》いた。「ただ、誰かに殺されちゃうのも悪くないなってふと思っただけ。ぐっすり眠っているうちにさ」

「人を殺すタイプじゃないよ」

「そう？」

「たぶんね」

彼女は笑って煙草を灰皿につっこみ、残っていた紅茶を一口飲み、それから新しい煙草に火を点けた。

「二十五まで生きるの」と彼女は言った。「そして死ぬの」

一九七八年七月彼女は二十六で死んだ。

☜

第二章　1978／7月

Ⅰ　十六歩歩くことについて

エレベーターのドアが閉まるシュウッというコンプレッサー音を背中に確かめてから、おもむろに目を閉じる。そして意識の断片をかきあつめ、アパートの廊下をドアに向って十六歩歩いた。目を閉じたまま正確に十六歩、それ以上でもそれ以下でもない。ウィスキーのおかげで頭はすりきれたネジみたいにぼんやりとして、口の中は煙草のタールの匂いでいっぱいだった。

それでも、どんなに酔払っていても、目を閉じたままものさしで線を引いたみたいにまっすぐ十六歩歩くことができる。長年にわたる意味のない自己訓練の賜物《たまもの》だ。酔払うたびに背筋をしゃんと伸ばし、顔を上げ、朝の空気とコンクリートの廊下の匂いを思いきり肺に吸い込む。そして目を閉じ、ウィスキーの霧の中をまっすぐ十六歩歩く。

その十六歩的世界にあっては、僕は「もっとも礼儀正しい酔払い」という称号を与えられている。簡単なことだ。酔払ったという事実を事実として受容すればいいのだ。「しかし」も「けれども」も「ただし」も「それでも」も何もない。ただ単に僕は酔払ったのだ。

そのようにして僕は最も礼儀正しい酔払いになる。いちばん早起きをするむくどりになり、いちばん最後に鉄橋を渡る有蓋貨車になる。

五・六・七……

八歩めで立ちどまって目を開け、深呼吸をする。軽い耳なりがした。錆《さ》びた鉄条網のあいだを抜けていく海の風のような耳なりだった。そういえばしばらく海を見ていないな。七月二十四日、午前六時三十分。海を見るには理想的な季節で、理想的な時刻だ。砂浜はまだ誰にも汚されてはいない。波打ちぎわには海鳥の足あとが、風にふるい落とされた針葉のようにちらばっている。

海、か。

僕は再び歩きはじめる。海のことはもう忘れよう。そんなものはとっくの昔に消えてしまったのだ。

　十六歩めで立ち止まって目をあけると、僕はいつものように正確にドアのノブの前にいた。郵便受けから二日ぶんの新聞と二通の封書を取り出し、小脇にはさむ。そして迷路のようなポケットからキー・ホルダーをとり出し、それを手に持ったまま冷《ひん》やりとした鉄のドアにしばらく額をつけた。耳の後ろ側でかちん、という小さな音がしたような気がした。体が綿のようにアルコールを吸い込んでいるのだ。比較的まともなのは意識だけだ。

　やれやれ。

　ドアを1/3ばかり開けてそこに体をすべりこませ、ドアを閉める。玄関はしん、としていた。必要以上にしん、としていた。

　それから僕は足もとの赤いパンプスの存在に気づいた。見慣れた赤いパンプスだった。それは泥だらけのテニス・シューズと安物のビーチ・サンダルにはさまれて、季節はずれのクリスマス・プレゼントみたいに見えた。その上に細かいちりのような沈黙が浮かんでいた。

　彼女は台所のテーブルにうつぶせになっていた。二本の腕の上に額が載《の》せられ、まっすぐな黒い髪がその横顔を隠していた。髪のあいだから日焼けしていない白い首筋が見えた。見覚えのないプリント地のワンピースの肩口から細いブラジャーの吊りひもがわずかにのぞいていた。

僕が上着を取り、黒いネクタイをはずし、腕時計をはずしているあいだ、彼女はぴくりとも動かなかった。彼女の背中を見ていると昔のことを思いだした。彼女と出会う以前のことだ。

「やあ」と僕は声をかけてみたが、それはまるで自分の声には聞こえなかった。どこか遠くからわざわざ運ばれてきた声みたいだった。予想どおり返事はない。

彼女は眠っているようにも見えたし、泣いているようにも見えたし、死んでいるようにも見えた。

僕はテーブルの向い側に座り、指先で目を押える。鮮かな太陽の光がテーブルを区切っていた。僕は光の中に、彼女は淡い影の中にいた。影には色がなかった。テーブルの上には枯れてしまったゼラニウムの鉢植えが載っていた。窓の外では誰かが道路に水を撒《ま》いていた。アスファルト道路に水を撒く音がして、アスファルト道路に水を撒く匂いがした。

「コーヒーでも飲まないか?」

やはり返事はない。

僕は返事がないことを確認してから立ちあがって台所で二人ぶんのコーヒー豆を挽《ひ》き、

トランジスタ・ラジオをつけた。そして豆を挽き終ってから本当はアイス・ティーが飲みたかったことに気づいた。僕はいつもあとになってからいろんなことを思い出す。

トランジスタ・ラジオはいかにも朝にふさわしい害のないポップソングを次から次へと流しつづけていた。そんな唄を聴いていると、この十年間世界は何ひとつ変っていないんだという気がした。歌手と唄のタイトルが違っているだけだ。そして僕が十歳年をとっただけだ。

やかんが沸騰《ふっとう》したのを確かめてガスを止め、三十秒さましてから湯をコーヒーの粉の上に注ぐ。粉が熱湯を吸い込めるだけ吸い込み、そしてゆっくり膨《ふく》らみ始めたところで、暖かい香りが部屋に広がった。外ではもう何匹もの蟬が鳴き出していた。

「きのうの夜からいたの？」僕はやかんを手にしたままそう訊ねてみた。

テーブルの上で彼女の髪がほんの僅《わず》か縦に揺れた。

「ずっと待っていたんだね」

彼女はそれには答えなかった。

やかんの湯気と強い日差しのせいで、部屋は蒸《む》しはじめていた。僕は流しの上の窓を閉め、エアコンのスイッチを入れてから、テーブルの上にコーヒー・カップをふたつ並べた。

「飲めよ」と僕は言った。僕の声は少しずつ僕の声らしさを取り戻していた。

「…………」

「飲んだ方がいいよ」

たっぷり三十秒間を置いてから彼女はゆっくりとした均一な動作でテーブルから顔を上げ、そのまま枯れた鉢植えをぼんやりとみつめた。細い髪が何本か濡《ぬ》れた頬にからみついていた。微《かす》かな湿り気が彼女のまわりにオーラのように漂っていた。

「気にしないで」と彼女は言った。「泣くつもりなんてなかったのよ」

僕がティッシュ・ペーパーの箱をさしだすと、彼女はそれで音を立てずに鼻をかみ、頬についた髪を煩《わずら》わしそうに指で払った。

「本当はあなたが帰ってくる前に出ていくつもりだったのよ。顔を合わせたくなかったから」

「でも気が変ったんだね」

「そうじゃないの。もうどこにも行きたくなくなっちゃっただけ。──でももう出て行くから心配しないで」

「ともかくコーヒーを飲みなよ」

僕はラジオの交通情報を聞きながらコーヒーをすすり、はさみで二通の手紙の封を切っと書いてあった。一通は家具店からの通知で、期間中に家具をお買い上げになると全て二割引きになるた。もう一通は思い出したくもない相手から来た読みたくもない手紙だった。僕は二通の手紙をまとめて丸め、足もとの屑かごに放りこみ、そして残りもののチーズ・クラッカーをかじった。彼女は寒さをしのぐような格好で両手でコーヒー・カップを包みこみ、縁《ふち》に唇を軽くつけたままじっと僕を見ていた。

「冷蔵庫にサラダがあるわよ」

「サラダ？」僕は頭をあげて彼女を見た。

「トマトといんげん。それしかなかったから。きゅうりは悪くなってたから捨てたわよ」

「うん」

僕は冷蔵庫からサラダの入った青い沖縄ガラスの深皿を取り出し、瓶の底に五ミリほど残っていたドレッシングを空になるまでふりかけた。トマトといんげんは影のように冷《ひん》やりとしていた。そして味がない。クラッカーにもコーヒーにも味はなかった。おそらく朝の光のせいだ。朝の光が何もかもを分解してしまうのだ。僕はコーヒーを途中であきらめてポケットからくしゃくしゃになった煙草を取り出し、まるで見覚えのない紙マッチを擦って火を点けた。煙草の先端がぱちぱちという乾いた音をたてた。そして紫色の煙が朝の光の中に幾何学的な模様を描いた。

「葬式だったんだ。それで式が終ってから新宿に出てずっと一人で飲んでたんだ」

猫がどこからかやってきて、長いあくびをしてから彼女の膝にひらりと跳び乗った。彼女は猫の耳のうしろを何度かかいてやった。

「何も説明しなくったっていいのよ」と彼女は言った。「もう私には関係のないことだから」

「説明してるんじゃないよ。しゃべってるだけさ」

彼女は小さく肩をすくめ、ブラジャーの吊り紐をワンピースの中に押し込んだ。彼女の顔には表情というものがまるでなかった。それは僕に、いつか写真で見た海の底に沈んでしまった街を思い出させた。

「昔のちょっとした知り合いだったんだ。君の知らない人だけどね」

「そう?」

彼女の膝の上で猫が手足をいっぱいに伸ばし、それからふうっと息を吐いた。

僕は口をつぐんだまま煙草の火先を眺めていた。

「どうして死んだの?」

「交通事故だよ。骨が十三本も折れたんだ」

「女の子」

「うん」

七時の定時ニュースと交通情報が終り、ラジオは再び軽いロック・ミュージックを流しはじめた。コーヒー・カップを皿の上に戻し、僕の顔を見た。

「ねえ、私が死んだ時もそんな風にお酒飲むの？」

「酒を飲んだのと葬式とは関係ないよ。関係あったのははじめの一杯か二杯さ」

外では新しい一日が始まろうとしていた。新しい暑い一日だ。流しの上の窓から高層ビルの一群が見えた。いつもよりずっと眩《まぶ》しく輝いている。

「冷たいものでも飲む？」

彼女は首を振った。

僕は冷蔵庫からよく冷えたコーラの缶を取り出し、グラスにつがずに一息で飲んだ。

「誰とでも寝ちゃう女の子だったんだ」と僕は言った。まるで弔辞みたいだ。故人は誰とでも寝ちゃう女の子でした。

「何故そんなこと私にしゃべるの？」と彼女はいった。

どうしてかは僕にもわからなかった。

「とにかく、誰とでも寝ちゃう女の子だったのね？」

「そうだよ」

「でもあなたとは別だったんでしょ？」

彼女の声に何かしら特別な響きがあった。僕はサラダの皿から顔をあげ、枯れた鉢植えごしに彼女の顔を見た。

「そう思うの？」

「なんとなくね」と彼女は小さな声で言った。「あなたって、そういうタイプなのよ」

「そういうタイプ？」

「あなたには何か、そういったところがあるのよ。砂時計と同じね。砂がなくなってしまうと必ず誰かがやってきてひっくり返していくの」

「そんなものかな」

彼女の唇がほんの少しほころび、そしてもとに戻った。

「残りの荷物を取りに来たのよ。冬もののコートとか帽子とか、そんなもの。段ボールの箱にまとめておいたから、手があいた時に運送屋さんまで運んでくれる？」

「家まで運んであげるよ」

彼女は静かに首を振った。「いいのよ。来てほしくないの。わかるでしょ？」

たしかにそのとおりだった。僕は見当はずれなことをしゃべりすぎる。

「住所はわかるわね？」

「わかるよ」

「用事はそれだけ。長居してごめんなさい」

「書類の方はあれでいいの」

「うん、みんな終ったわ」

「ずいぶん簡単なものだね。もっと何やかやいろんなものがあるんだと思ってたよ」

「知らない人はみんなそう思うのよ。でも本当に簡単なの。終ってしまえばね」彼女はそう言って、もう一度猫の頭をかいた。「二度も離婚すればもうベテランみたいなものよ」

猫は目を閉じて背中だけで伸びをし、彼女の腕に首をそっと載せた。僕はコーヒー・カップとサラダの皿を流しの中に放り込み、請求書をほうきがわりにしてクラッカーの粉を一ヵ所に集めた。太陽の光で、目の奥がちくちくと痛んだ。

「細かいことはあなたの机の上のメモに全部書いておいたわ。いろんな書類の場所とか、ごみの収集日とか、そんなことね。わからないことがあったら電話して」

「ありがとう」

「子供欲しかった？」

「いや」と僕は言った。「子供なんて欲しくないよ」

「私はずいぶん迷ったのよ。でもこうなるんなら、それでよかったのね。それとも子供がいたらこうならなかったと思う?」

「子供がいても離婚する夫婦はいっぱいいるよ」

「そうね」と彼女は言って僕のライターをしばらくいじっていた。「あなたのことは今でも好きよ。でも、きっとそういう問題でもないのね。それは自分でもよくわかっているのよ」

2 彼女の消滅・写真の消滅・スリップの消滅

彼女が帰ったあとで僕はもう一本コーラを飲み、熱いシャワーに入って髭《ひげ》を剃《そ》った。石鹸もシャンプーもシェービング・クリームも、何もかもがなくなりかけていた。シャワーから出て髪をとかし、ローションをつけ、耳のそうじをした。そして台所に行って残りのコーヒーをあたためなおした。テーブルの向い側にはもう誰も座ってはいなかった。誰も座ってはいない椅子をじっと眺めていると、自分が小さな子供で、キリコの絵に出てきそうな不思議な見知らぬ街に一人で残されたような気がした。しかしもちろん僕はもう小さな子供ではない。僕は何も考えずにコーヒーをすすり、長い時間をかけてそれを飲んでしまうと、しばらくぼんやりしてから煙草に火をつけた。

まる二十四時間眠っていないわりには不思議に眠くはなかった。体の芯はぼんやりしていたが、頭だけが手なれた水生動物のように入り組んだ意識の水路をぐるぐるとあてもなく動きまわっていた。

無人の椅子をぼんやり眺めているうちに、昔読んだアメリカの小説を思い出した。妻に家出された夫が、食堂の向いの椅子に彼女のスリップを何ヵ月もかけておく話だった。しばらく考えているうちに、それは悪くないアイデアであるように思えはじめた。何かの役に立つとは思えなかったけれど、枯れてしまったゼラニウムの鉢を置いておくよりはずっと気がきいている。猫だって彼女のものがあれば少しは落ちつくかもしれない。

僕は寝室の彼女の引出しを順番に開けてみたが、どれもからっぽだった。虫の喰った古いマフラーが一枚とハンガーが三本、防虫剤の包み、残っているのはそれだけだった。彼女はきれいさっぱり何もかもを持っていってしまったのだ。洗面所に所狭しとちらばっていた細々とした化粧品、カーラー、歯ブラシ、ヘア・ドライヤー、わけのわからない薬、生理用品、ブーツからサンダル、スリッパに至る全てのはきもの、帽子の箱、引出しひとつぶんのアクセサリー、ハンドバッグ、ショルダー・バッグ、スーツケース、パース、いつもきちんと整理されていた下着や靴下、手紙、彼女の匂いのするものは何ひとつ残されてはいなかった。指紋さえ拭き取っていったんじゃないかという気がした。本箱とレコード棚の$1/3$ばかりが消えていた。彼女が自分で買ったり、僕が彼女にプレゼントした本やレコードだった。

アルバムを開いてみると彼女が写っている写真は一枚残らずはぎ取られていた。僕と彼女が一緒に写ったものは、彼女の部分だけがきちんと切り取られ、あとには僕だけが残されていた。僕一人が写っている写真と風景や動物を撮った写真はそのままだった。そんな三冊のアルバムに収められているのは完璧に修整された過去だった。僕はいつも一人ぼっちで、そのあいだに山や川や鹿や猫の写真があった。まるで生まれた時も一人で、ずっと一人ぼっちで、これから先も一人というような気がした。僕はアルバムを閉じ、煙草を二本吸った。

スリップの一枚くらい残していってくれてもよさそうなものなのにとは思ったが、それはもちろん彼女の問題であって、僕がとやかく言うことではなかった。何ひとつ残すまい、と彼女は決めたのだ。僕はそれに従うほかない。あるいは彼女が意図したように、そもそもの始めから彼女は存在しなかったのだと思い込む他ない。そして彼女の存在しないところに、彼女のスリップも存在しないのだ。

僕は灰皿を水につけてエアコンとラジオのスイッチを切り、もう一度彼女のスリップに思いを巡《めぐ》らしてから、あきらめてベッドに入った。

僕が離婚を承諾し、彼女がアパートを出ていってしまってから既に一ヵ月が経っていた。その一ヵ月には殆んど何の意味もなかった。ぼんやりとして実体のない、生温かいゼリーのような一ヵ月だった。何かが変ったとはまるで思えなかったし、実際のところ、何ひとつ変ってはいなかったのだ。

僕は朝七時に起きてコーヒーを淹《い》れ、トーストを焼き、仕事にでかけ、外で夕食を取り、二杯か三杯酒を飲み、家に帰って一時間ばかりベッドの中で本を読み、電灯を消して眠った。土曜日と日曜日には仕事をするかわりに朝から何軒か映画館をまわって時間を潰《つぶ》した。そしていつもと同じように一人で夕食を取り、酒を飲み、本を読んで眠った。そんな風にして、ちょうどある種の人々がカレンダーの数字をひとつずつ黒く塗りつぶしていくように、僕は一ヵ月を生きてきた。

彼女が消えてしまったのは、ある意味では仕方のない出来事であるような気がした。既に起ってしまったことは起ってしまったことなのだ。我々がこの四年間どれだけうまくやってきたとしても、それはもうたいした問題ではなくなっていた。はぎとられてしまったアルバムと同じことだ。

それと同じように、彼女が僕の友人と長いあいだ定期的に寝ていて、ある日彼のところに転がり込んでしまったとしても、それもやはりたいした問題ではなかった。そういうことは十分起り得ることであり、そしてしばしば現実に起ることであって、彼女がそうなってしまったとしても、何かしら特別なことが起ったという風には僕にはどうしても思えなかった。結局のところ、それは彼女自身の問題なのだ。

「結局のところ、それは君自身の問題なんだよ」と僕は言った。

それは彼女が離婚したいと言い出した六月の日曜日の午後で、僕は缶ビールのプルリングを指にはめて遊んでいた。

「どちらでもいいということ?」と彼女は訊ねた。とてもゆっくりとしたしゃべり方だった。

「どちらでもいいわけじゃない」と僕は言った。「君自身の問題だって言ってるだけさ」

「本当のことを言えば、あなたと別れたくないわ」としばらくあとで彼女は言った。

「じゃあ別れなきゃいいさ」と僕は言った。

「でも、あなたと一緒にいてももうどこにも行けないのよ」

彼女はそれ以上何も言わなかったけれど、彼女の言いたいことはわかるような気がした。僕はあと何ヵ月かのうちに三十になろうとしていた。彼女は二十六になろうとしていた。そしてその先にやってくるべきものの大きさに比べれば、我々のこれまでに築いてきたものなど本当に微少なものでしかなかった。あるいはゼロだった。我々はまるで貯金を食いつぶすようにその四年間を生きてきたのだ。

その殆んどは僕の責任だった。おそらく僕は誰とも結婚するべきではなかったのだ。少くとも彼女は僕と結婚するべきではなかった。

彼女ははじめのうち自分が社会的不適合者で僕が社会的適合者であると考えていた。そして我々はそのそれぞれの役割を比較的うまくこなしてきた。しかしそのままずっとうまくやっていけるだろうと二人が思った時、何かが壊れた。ほんの小さな何かだったけれど、それはもうもとに戻らなかった。我々はおだやかな、引きのばされた袋小路の中にいた。それが我々の終りだった。

彼女にとって、僕は既に失われた人間だった。たとえ彼女が僕をまだいくらか愛していたとしても、それはまた別の問題だった。我々はお互いの役割にあまりにも慣れすぎていたのだ。僕が彼女に与えることができるものはもう何もなかった。彼女にはそれが本能的にわかっていたし、僕には経験的にわかっていた。どちらにしても救いはなかった。
そのようにして彼女は彼女の何枚かのスリップとともに僕の前から永遠に姿を消した。
あるものは忘れ去られ、あるものは姿を消し、あるものは死ぬ。そしてそこには悲劇的な要素は殆んどない。

7月24日、午前8時25分。

僕はデジタル時計の四つの数字を確かめてから目を閉じ、そして眠った。

第三章　1978／9月

I　鯨のペニス・三つの職業を持つ女

女の子と寝るというのは非常に重大なことのようにも思えるし、逆にまるでたいしたことじゃないようにも思える。つまり自己療養行為としてのセックスがあり、暇つぶしとしてのセックスがある。

終始自己療養行為というセックスもあれば、終始暇つぶしというセックスもある。はじめは自己療養行為であったものが暇つぶしとして終る例もあれば、逆の場合もある。なんというか、我々の性生活は鯨の性生活とは根本的に異っているのだ。

我々は鯨ではない――これは僕の性生活にとって、ひとつの重大なテーゼである。

子供の頃、家から自転車で三十分ばかりのところに水族館があった。水族館はいつも冷《ひん》やりとした水族館的沈黙に支配されていて、時折ぴしゃぴしゃと水のはねる音がどこからともなく聞こえてくるだけだった。仄暗《ほのぐら》い廊下の角で半魚人が息をひそめているような感じだった。

まぐろの群れが巨大なプールをぐるぐるとまわり、ちょうざめは狭い水路を溯《さかのぼ》り、ピラニアは肉塊に鋭い歯を立て、電気うなぎはしみったれた豆電球をぽつぽつとともしていた。

水族館には無数の魚がいた。彼らはそれぞれに違った名前と違ったうろこと違ったえらを持っていた。何故地球上にそれほど多くの種類の魚が存在しなければならぬのか、僕にはさっぱりわからなかった。

もちろん水族館には鯨はいない。鯨はあまりにも大きすぎて、水族館をつぶしてまるまるひとつの水槽にしたところでそれを飼うことはできないのだ。そのかわりに水族館には鯨のペニスが置いてあった。まあいわば代用品だ。そんなわけで、僕は感じやすい少年期を通じて本物の鯨を見るかわりに鯨のペニスを眺めつづけた。冷《ひん》やりとした水族館的通路の散歩に飽きると、僕はひっそりとしずまりかえった天井の高い展示室のソファーに座り、鯨のペニスの前でぼんやりと何時間かを過ごした。

それはある時にはひからびた小型のやしの木のように見えたし、ある時には巨大なとうもろこしのように見えた。もしそこに「鯨の生殖器・雄」という立て札がなければ、おそらく誰一人としてそれが鯨のペニスであるとは気づかなかったに違いない。それは南氷洋の産物というよりは中央アジアの砂漠で発掘された遺物のような趣きがあった。それは僕のペニスとも違っていたし、僕がそれまでに見たどんなペニスとも違っていた。そしてそこには切り取られたペニス特有の何かしら説明しがたい哀しみが漂っていた。

僕が最初に女の子と性交したあとで思い出したのも、その巨大な鯨のペニスだった。それがどのような運命を辿り、どのような経緯を経て水族館のがらんとした展示室に到達したのかを考えると、僕の胸は痛んだ。そこには救いなんて何ひとつないような気がした。しかし僕はまだ十七歳で、すべてに絶望するには明らかに若すぎた。そこで僕はそれ以来こう考えるようになった。

我々は鯨ではない、と。

僕はベッドの中で新しいガール・フレンドの髪を指先でいじりながら、ずっと鯨のことを考えていた。

僕の思い出す水族館はいつも秋の終りだった。水槽のガラスは氷のように冷たく、僕はぶ厚いセーターを着込んでいた。展示室の大きなガラス窓から見える海は濃い鉛色で、無数の白い波は女の子たちが着ているワンピースの白いレースの襟《えり》を思わせた。

「何を考えているの？」と彼女が訊ねた。

「昔のこと」と僕は言った。

☞

彼女は二十一歳で、ほっそりとした素敵な体と魔力的なほどに完璧な形をした一組の耳を持っていた。彼女は小さな出版社のアルバイトの校正係であり、耳専門の広告モデルであり、品の良い内輪だけで構成されたささやかなクラブに属するコール・ガールでもあった。その三つのうちのどれが彼女の本職なのかは僕にはわからなかった。彼女にもわからなかった。

しかしどれが本来の姿であるかという観点から見るなら、耳専門のモデルとしての彼女が最も自然な姿であるようだった。僕もそう思ったし、彼女もそう考えていた。とはいっても耳専門の広告モデルが活躍できる分野は極めて限られているし、モデルとしての地位もギャラもおそろしく低いものだった。大抵の広告代理業者やカメラマンやメイク係や雑誌記者は彼女を単なる「耳の持ち主」として扱った。耳以外の彼女の肉体や精神は完全に切り捨てられ、黙殺された。

「でも本当はそうじゃないのよ」と彼女は言った。「耳は私であり、私は耳であるのよ」

校正係としての彼女とコール・ガールとしての彼女は絶対に、一瞬たりとも、耳を他人に見せなかった。

「なぜなら、それは本当の私じゃないから」と彼女は説明した。

彼女の属するコール・ガール・クラブの事務所(一応タレント・クラブという名目になっていた)は赤坂にあり、みんながミセス・エクスと呼ぶ経営者は白髪のイギリス人の女性だった。彼女はもう三十年も日本で暮していて、流暢《りゅうちょう》な日本語をしゃべり、殆んどの基本的な漢字を読むことができた。

ミセス・エクスはコール・ガール事務所から五百メートルも離れていない場所で女性専門の英会話教室を開いていて、彼女はそこで筋の良さそうな女の子をピックアップしてはコール・ガール事務所の方にスカウトしていた。逆にコール・ガールの何人かが英会話教室に通うということもあった。彼女たちはもちろん何割か授業料を免除された。

ミセス・エクスはコール・ガールたちを「ディア」と呼んだ。その彼女の「ディア」には春の昼下がりのような柔かい響きがあった。

「きちんとしたレースの下着をつけていきなさいね、ディア。パンティーストッキングはいけませんよ」とか、「あなたは紅茶にクリームをいれるんだったわね、ディア」とか、そんな具合だ。客筋はとてもきちんと把握されていて、その殆《ほと》んどは四十代と五十代の裕福なビジネス・マンだった。$\frac{2}{3}$が外国人で、残りが日本人だった。ミセス・エクスは政治家と老人と変質者と貧乏人が嫌いだった。

僕の新しいガール・フレンドは一ダースばかりの美人揃いのコール・ガールたちの中ではいちばん見栄《みば》えが悪く、平凡ななりをしていた。実際のところ、耳を隠した彼女は実に平凡な印象しか人に与えなかった。ミセス・エクスがどうして彼女に目をつけてスカウトしたのか、僕にはよくわからない。彼女の平凡さの中に特殊な輝きを認めたからかもしれないし、それともただ単に一人くらい平凡な女の子がいてもいいだろうと考えたからかもしれない。いずれにしてもミセス・エクスの目論《もくろ》見《み》は的中し、彼女にも何人かのしっかりとした顧客がつくようになった。彼女は平凡な服を着て、平凡な化粧をし、平凡な下着をつけ、平凡な石鹼の匂いを漂わせてヒルトンやオークラやプリンスにでかけ、週に一人か二人の男と寝て、一ヵ月食べていけるだけの収入を得ていた。

それ以外の夜の半分を、彼女は無料で僕と寝てくれた。あとの半分を彼女がどのように過しているのかは僕にはわからない。

出版社のアルバイト校正係としての彼女の生活はもっと平凡なものだった。彼女は週に三日だけ神田の小さなビルの三階にある会社に通い、朝の九時から夕方の五時までゲラの校正をしたり、お茶を淹《い》れたり、階段を下りて（エレベーターがなかったので）消しゴムを買いにいったりしていた。彼女は唯一の若い独身の女性だったが、別に誰も彼女にちょっかいを出したりはしなかった。彼女はまるでカメレオンのように場所や状況によって、その輝きを出したりひっこめたりすることができたのだ。

僕が彼女に（あるいは彼女の耳に）めぐり会ったのは、妻と別れた直後――八月のはじめだった。僕はコンピューターのソフトウェア会社の広告コピーの下請《したう》け仕事をしていて、そこではじめて彼女の耳と対面することになった。

広告代理店のディレクターが机の上に企画書と何枚かの大判のモノクロ写真を置いて、一週間のうちにこの写真につけるヘッド・コピーを三種類用意してくれ、と言った。三枚の写真はどれも巨大な耳の写真だった。

耳？

「どうして耳なんですか？」と僕は訊ねてみた。

「知るもんか。ともかく耳なんだよ。君は一週間耳について考えてりゃいいんだよ」

そんなわけで僕は一週間、耳の写真だけを眺めて暮した。机の前の壁にセロハンテープでその三枚の巨大な耳の写真を貼りつけ、煙草を吸ったりコーヒーを飲んだりサンドウィッチを食べたり爪を切ったりしながら、その写真を眺めた。

一週間でなんとか仕事は片付いたが、そのあとでも耳の写真は壁に貼りつけられたままになっていた。はがすのが面倒だったせいもあるし、耳の写真を眺めることが僕の日常的習慣になってしまったせいもある。しかし僕がその写真をはがして引出しの奥に放り込んでしまわなかった本当の理由は、その耳があらゆる面で僕を魅了したからだった。それはまったく夢のような形をした耳だった。百パーセントの耳と言っていいだろう。拡大された人体の一部（もちろん性器も含めて）にこれほど強い力でひきつけられたのははじめての体験だった。それは僕に何かしら運命的な巨大な渦のようなものを思わせた。

あるカーブはあらゆる想像をこえた大胆さで画面を一気に横切り、あるカーブは秘密めいた細心さで一群の小さな翳《かげ》を作りだし、あるカーブは古代の壁画のように無数の伝説を描きあげていた。耳たぶの滑《なめ》らかさは全ての曲線を超え、そのふっくらとした肉のあつみは全ての生命を凌駕《りょうが》していた。

僕は何日か後でその写真を撮ったカメラマンに電話をかけて耳の持ち主の名前と電話番号を教えてもらうことにした。

「またどうして？」とカメラマンは訊ねた。

「興味があるんだよ。とても素敵な耳だからさ」

「そりゃまあ、たしかに耳はね」とカメラマンはもごもごと言った。「でも人物の方はあまりぱっとしない女の子だよ。若い子とデートしたいんなら、このあいだ撮った水着のモデルを紹介してやるよ」

「どうもありがとう」と言って僕は電話を切った。

☜

二時、六時、十時と彼女に電話をかけてみたが、電話には誰も出なかった。彼女は彼女なりに忙しい人生を送っているようだった。

やっと彼女をつかまえることができたのは翌朝の十時だった。僕は簡単な自己紹介をしてから、先日の広告の仕事の件で少し話があるんだけど、夕食でも一緒にいかがですか、と訊ねてみた。

「仕事はもう終ったって聞いたけれど」と彼女は言った。

「仕事は終りました」と僕は言った。彼女は少し面喰《めんくら》ったようだったけれど、それ以上質問はしなかった。我々は翌日の夕方に青山通りの喫茶店で待ち合わせることにした。

僕はこれまでに行ったことのある中でいちばん高級なフランス料理店に電話をかけてテーブルを予約した。そして新しいシャツをおろし、時間をかけてネクタイを選び、まだ二度しか袖を通していない上着を着た。

彼女はカメラマンが忠告してくれたとおりたしかにあまりぱっとしない女の子だった。服装も顔つきも平凡で、二流の女子大のコーラス部員みたいに見えた。しかしもちろん、僕にとってはそんなことはどうでもいい。僕ががっかりしたのは、彼女がまっすぐに下ろした髪の中に耳をすっぽり隠していることだった。

「耳を隠しているんだね」と僕はなんでもなさそうに言った。

「ええ」と彼女もなんでもなさそうに言った。

予定より少し早めに着いたせいで、我々がディナー・タイムの最初の客だった。照明が落とされ、ウェイターが長いマッチを擦って赤いキャンドルに火をつけてまわり、ヘッド・ウェイターがにしんのような目つきでナプキンや食器や皿の並べ方を細かく点検していた。ヘリンボーン形に組みあわせられたオークの床板は綺麗に磨きあげられ、ウェイターの靴底がコツコツと気持の良い音を立てていた。ウェイターの靴は僕のはいた靴よりずっと高そうだった。花瓶の花は新しく、白い壁には一目でオリジナルとわかるモダン・アートがかかっていた。

僕はワイン・リストを見てなるべくさっぱりした白ワインを選び、オードブルに鴨のパテと鯛のテリーヌとあんこうの肝のサワー・クリームをとった。彼女はメニューを念入りに研究してから海亀のスープとグリーン・サラダと舌平目のムースを注文し、僕はうにのスープと仔牛のパセリ風味ローストとトマト・サラダを注文した。僕の半月ぶんの食費がとんでしまいそうだった。

「なかなか素敵なお店ね」と彼女は言った。「よく来るの？」

「仕事がらみでたまに来るだけさ。どちらかというと一人の時はレストランなんかよりは酒を飲みながらバーでありあわせのものを食べる方が性にあってるんだ。その方が楽なんだ。余計なことを考えないで済むからさ」

「バーでいつもどんなものを食べるの？」

「いろいろだけれど、まあオムレツとサンドウィッチが多いね」

「オムレツとサンドウィッチ」と彼女は言った。「バーで毎日オムレツとサンドウィッチを食べているの？」

「毎日じゃないよ。三日に一度は自分で料理をつくる」

「じゃあ三日に二日はバーでオムレツとサンドウィッチを食べるのね」

「そうだね」と僕は言った。

「なぜオムレツとサンドウィッチなの?」

「良いバーはうまいオムレツとサンドウィッチを出すものなんだ」

「ふうん」と彼女は言った。「変った人ね」

「変ってないよ」と僕は言った。

いったいどんな風に切り出せばいいのかわからなかったので、僕はしばらく黙ってテーブルの上の灰皿の吸いがらを眺めていた。

「仕事の話でしょ」と彼女が水をむけた。

「昨日も言ったように、仕事はもう完全に終ってるんだ。問題もない。だから話はないんだよ」

彼女はハンドバッグのポケットから細いはっか煙草を取り出してレストランのマッチで火を点け、「それで?」といった感じで僕を見た。

僕が話し出そうとした時に、ヘッド・ウェイターが確信にみちた靴音を響かせて我々のテーブルにやってきた。彼は一人息子の写真でも見せるようににっこりと微笑《ほほえ》みながらワインのラベルを僕に向け、僕が肯《うなず》くと感じの良い小さな音を立てて栓を抜き、グラスにひとくち注いでくれた。凝縮された食費の味がした。

ヘッド・ウェイターが退くと入れちがいに二人のウェイターがやってきて、テーブルに三枚の大皿と二枚のとり皿を並べた。ウェイターが去ってしまうと、我々はまた二人きりになった。

「どうしても君の耳が見たかったんだ」と僕は正直に言った。

彼女は何も言わずにパテとあんこうの肝を皿に取り、ワインを一口飲んだ。

「迷惑だったかな？」

彼女はほんの少し微笑んだ。「おいしいフランス料理は迷惑じゃないわ」

「耳のことを話されることは迷惑？」

「でもないのよ。話す角度によって、ね」

「君の好きな角度から話すよ」

彼女はフォークを口に運びながら首を振った。「正直に話して。それがいちばん好きな角度だから」

我々はしばらく黙ってワインを飲み、食事をつづけた。

「僕が角を曲る」と僕は言った。「すると僕の前にいた誰かはもう次の角を曲っている。その誰かの姿は見えない。その白い裾がちらりと見えるだけなんだ。でもその裾の白さだけがいつまでも目の奥に焼きついて離れない。こういう感じってわかるかい？」

「わかると思うわ」

「僕が君の耳から感じるのは、そういったことなんだ」

再び我々は黙々と食事をつづけた。僕は彼女のグラスにワインを注ぎ、自分のグラスにワインを注いだ。

「そういった情景が頭に浮かぶんじゃなくて、そういった感じがするのね？」と彼女が訊ねた。

「そうだよ」

「これまでにそんな感じがしたことがある？」

僕はしばらく考えてから首を振った。「ないね」

「でもそれはつまり、私の耳のせいなのね？」

「はっきりとそうだっていう確信があるわけじゃないんだ。だって確信なんて持ちようがないもの。耳の形が誰かにいつもある特定の感情を起こさせるなんて聞いたこともないよ」

「ファラ・フォーセット・メジャーズの鼻を見るたびにくしゃみが出る人を知ってるわよ。くしゃみってそういう精神的要素が大きいのね。一度原因と結果が結びついてしまうとなかなか離れなくなってしまうの」

「ファラ・フォーセット・メジャーズの鼻のことはよく知らないけれど」と僕は言ってワインを飲んだ。それから何を言おうとしていたのかを忘れてしまった。

「それとは少し違うのね？」と彼女が言った。

「うん。それとは少し違うんだ」と僕は言った。「僕の受ける感情はものすごく漠然としていて、しかもソリッドなんだ」僕は両手を一メートルばかり離してから、それを五センチに縮めた。

「うまく説明できないな」

「漠然とした動機に基いた、凝縮された現象」

「そのとおりだよ」と僕は言った。「君は僕の七倍くらい頭がいい」

「通信教育を受けたのよ」

「通信教育？」

「ええ、心理学の通信教育」

我々は最後に残ったパテを二人でわけた。僕は自分が何を言おうとしていたのかをまた忘れてしまった。

「あなたは私の耳とそのあなたの感情の相関関係がまだよくつかめないのね？」

「そうなんだ」と僕は言った。「つまり、君の耳がダイレクトに僕にアピールするのか、それとも別の何かが君の耳を媒介として僕にアピールするのか、それがどうもうまくつかめないんだ」

彼女はテーブルの上に両手を載せたまま、微《かす》かに肩を動かした。「あなたの感じる感情は良い種類のもの、それとも嫌な種類のもの？」

「どちらでもない。どちらでもある。わからないよ」

彼女は両手でワイン・グラスをはさんで、しばらく僕の顔を見ていた。「あなた、もう少し感情表現の方法を学んだ方がいいみたいよ」

「描写力もないしね」と僕は言った。

彼女は微笑んだ。「でもまあいいわ。あなたの言っていることはだいたいわかったから」

「それで僕はどうすればいいのかな？」

彼女はずっと黙っていた。何か別のことを考えているみたいに見えた。テーブルには空になった五枚の皿が並んでいた。五枚の皿は滅亡した惑星群みたいに見えた。

「ねえ」と長い沈黙のあとで彼女が口を開いた。「私たちはお友だちになった方がいいと思うの。もちろんあなたがそれでよければの話だけれど」

「もちろんいいさ」と僕は言った。

「それも、とてもとても親しい友だちになるのよ」と彼女が言った。

僕は肯いた。

そんな風にして、我々はとてもとても親しい友だちになった。はじめて会ってから三十分しかかからなかった。

「親しい友だちとして、君に質問したいことがあるんだ」と僕は言った。

「いいわよ」

「まずひとつはなぜ耳を出さないのかということ。もうひとつはこれまでに君の耳が僕以外の誰かに特殊な力を及ぼしたことがあるかということなんだ」

彼女は何も言わずにテーブルの上に置いた両手をじっと眺めていた。

「いろいろあるのよ」と彼女は静かに言った。

「いろいろ？」

「うん。でも簡単に言ってしまえば、私が耳を出していない方の自分に慣れてしまったからということになるわね」

「つまり耳を出している時の君と、耳を出していない時の君は違うっていうことなのかな?」

「そうね」

二人のウェイターが我々の皿を下げ、スープを運んできた。

「耳を出している時の君について話してくれないかな?」

「ずいぶん昔のことだからうまく話せないわ。本当のことを言うと、十二の齢から一度も耳を出したことはないの」

「でもモデルの仕事をする時には耳を出すわけだよね?」

「ええ」と彼女は言った。「でもあれは本当の耳じゃないの」

「本当の耳じゃない?」

「あれは閉鎖された耳なの」

僕はスープを二口飲んでから顔を上げて彼女の顔を見た。

「閉鎖された耳についてもう少しくわしく教えてくれないかな?」

「閉鎖された耳は死んだ耳なの。私が自分で耳を殺すのよ。つまり、意識的に通路を分断してしまうってことなんだけど……わかるかしら？」

僕にはよくわからなかった。

「質問してみて」と彼女は言った。

「耳を殺すというのは、耳が聴こえなくなるということ？」

「ううん。耳はちゃんと聴こえるの。でも耳は死んでいるのよ。あなたにもできるはずよ」

彼女はスープ・スプーンをテーブルに置くと背筋をしゃんと伸ばし、それから両肩を五センチばかり上にあげ、顎を思いきり手前に引き、十秒ばかりその姿勢をつづけてから急にがくんと肩を落とした。

「これで耳が死んだの。あなたもやってみて」

僕は彼女と同じ動作をゆっくり三度くりかえしてみたが、何かが死んだという印象は持てなかった。ワインのまわりかたが少し早くなっただけだった。

「どうも僕の耳はうまく死なないようだな」と僕はがっかりして言った。

彼女は首を振った。「いいのよ。死なせる必要がなければ、死なせることができなくてなんの不都合もないんだから」

「もう少し質問してもいい？」

「いいわよ」

「君の言っていることを綜合してみると、こういうことになると思うんだ。つまり君は十二の歳まで耳を出していた。そしてある日耳を隠した。そしてそれから現在に至るまで一度も耳を出していない。どうしても耳を出さなくちゃいけない時は耳と意識のあいだの通路を閉鎖する。そういうことだね？」

彼女はにっこりと笑った。「そういうことよ」

「十二の齢に君の耳に何が起ったんだ？」

「急がないで」と彼女は言って右手をテーブル越しに伸ばし、僕の左手の指にそっと触れた。「お願い」

僕はワインの残りをふたつのグラスに注ぎ、ゆっくりと自分のグラスをあけた。

「まずあなたのことを知りたいな」

「僕のどんなことを？」

「全部よ。どんな風に育ったかとか、年はいくつかとか、何をしているかとか、そんなこと」

「平凡な話だよ。すごく平凡だから、きっと聞いているうちに眠くなっちゃうよ」

「私、平凡な話って好きよ」

「僕のは誰も好きになってくれないようなタイプの平凡な話なんだ」

「いいから十分間話して」

「誕生日は一九四八年の十二月二十四日、クリスマス・イブだよ。クリスマス・イブって、あまり良い誕生日じゃない。だって誕生日とクリスマスのプレゼントが一緒になっちゃうからね。みんな安く済ませようとするんだ。星座は山羊座で血液型はA、この組みあわせは銀行員とか区役所員に向いている。射手座と天秤座と水瓶座とは相性が悪いということになっている。退屈そうな人生だと思わないか?」

「面白そうだわ」

「平凡な街で育って、平凡な学校を出た。小さな時は無口な子供で、成長すると退屈な子供になった。平凡な女の子と知りあって、平凡な初恋をした。十八の年に大学に入って東京に出てきた。大学を出てから友だちと二人で小さな翻訳事務所を始めて、なんとかそれで食べてきた。三年ほど前からPR誌や広告関係の仕事にも手を広げて、そちらの方も順調に伸びている。会社で働いていた女の子と知りあって四年前に結婚して、二ヵ月前に離婚した。理由はひとくちじゃ言えない。年寄りの雄猫を一匹飼っている。一日に四十本煙草を吸う。どうしてもやめられないんだ。スーツを三着とネクタイを六本、それに流行遅れのレコードを五百枚持っている。エラリー・クイーンの小説の犯人は全部覚えている。

プルーストの『失われた時を求めて』も揃いで持ってるけど、半分しか読んでない。夏はビールを飲んで、冬はウィスキーを飲む」

「そして三日に二日はバーでオムレツとサンドウィッチを食べるのね？」

「うん」と僕は言った。

「面白そうな人生だわ」

「ずっと退屈な人生だったし、これからだって同じさ。でもそれが気に入らないというわけでもない。要するに仕方ないことなんだよ」

僕は時計を見た。九分二十秒たっていた。

「でも今あなたのしゃべったことがあなたのすべてというわけでもないんでしょう？」

僕はテーブルの上の自分の両手をしばらく眺めた。「もちろんすべてじゃない。どんな退屈な人生でも十分で語り尽すことはできないからね」

「私の感想を言っていいかしら？」

「どうぞ」

「私は初対面の人に会うと、十分間しゃべってもらうことにするの。そして相手のしゃべった内容とは正反対の観点から相手を捉えることにしてるの。こういうのって間違っていると思う？」

「いや」と言って僕は首を振った。「たぶん君のやり方が正しいんだと思う」

ウェイターがやってきて、テーブルに皿を並べ、別のウェイターがそこに料理を盛りつけ、ソース係がそれにソースをかけた。ショートからセカンドへ、セカンドからファーストへ、といった感じだった。

「その方法をあなたにあてはめてみると、こうなると思うの」彼女は舌平目のムースにナイフを入れながら言った。

「つまり、あなたの人生が退屈なんじゃなくて、退屈な人生を求めているのがあなたじゃないかってね。それは間違ってる?」

「君の言うとおりかもしれない。僕の人生が退屈なんじゃなくて、僕が退屈な人生を求めてるのかもしれない。でも結果は同じさ。どちらにしても僕は既にそれを手に入れているんだ。みんなは退屈さから逃げ出そうとしているけれど、僕は退屈さに入り込もうとしている、まるでラッシュ・アワーを逆方向に行くみたいにさ。だから僕の人生が退屈になったからって文句なんて言わない。女房が逃げだす程度のものさ」

「奥さんとはそれで別れたの?」

「さっきも言ったようにひとくちじゃ言えない。しかしニーチェの言葉にもあるように、退屈さには神々も旗をまくってね、そういうことさ」

我々はゆっくりと料理を食べた。彼女は途中でソースのおかわりをして、僕はパンを余分に食べた。メイン・ディッシュを食べ終えるまで、我々はお互いに別のことを考えていた。皿が下げられ、ブルーベリーのシャーベットを食べ、エスプレッソ・コーヒーが出たところで僕は煙草に火を点けた。煙草の煙はほんの少しだけ空中を彷徨《さまよ》ってから無音の換気装置の中に吸い込まれていった。幾つかのテーブルは客がついていた。天井のスピーカーからはモーツァルトのコンチェルトが流れていた。

「君の耳のことをもう少し聞きたいな」と僕は言った。

「あなたの訊きたいことは、私の耳が特殊な力を持っているかどうかということね」

僕は肯いた。

「それはあなたが自分で確かめてほしいの」と彼女は言った。「私がそれについてあなたに何かを話したとしても、とても限定された形でしか話せないし、それがあなたの役に立つとは思えないの」

僕はもう一度肯いた。

「あなたのために耳を出してもいいわ」と彼女はコーヒーを飲み終えてから言った。「でも、そうすることが本当にあなたのためになるのかどうかは私にもわからないの。あなたは後悔することになるかもしれないわよ」

「どうして？」

「あなたの退屈さはあなたが考えているほど強固なものじゃないかもしれないということよ」

「仕方ないさ」と僕は言った。

彼女はテーブルごしに手をのばして、僕の手に重ねた。「それからもうひとつ、しばらくのあいだ——これから何ヵ月か——私のそばを離れないで。いい？」

「いいよ」

彼女はハンドバッグから黒いヘア・バンドを取り出すとそれを口にくわえ、両手で髪をかかえるようにして後ろにまわして素早く束ねた。

「どう？」

僕は息を呑み、呆然《ぼうぜん》と彼女を眺めた。口はからからに乾いて、体のどこからも声はでてこなかった。白いしっくいの壁が一瞬波打ったように思えた。店内の話し声や食器の触れ合う音がぼんやりとした淡い雲のようなものに姿を変え、そしてまたもとに戻った。波の音が聞こえ、懐しい夕暮の匂いが感じられた。しかし、それらは何もかもほんの何百分の一秒かのあいだに僕が感じたもののほんの一部にすぎなかった。

「すごいよ」と僕はしぼり出すように言った。「同じ人間じゃないみたいだ」

「そのとおりよ」と彼女は言った。

2　耳の開放について

「そのとおりよ」と彼女は言った。

彼女は非現実的なまでに美しかった。その美しさは僕がそれまでに目にしたこともなく、想像したこともない種類の美しさだった。全てが宇宙のように膨張し、そして同時に全てが厚い氷河の中に凝縮されていた。全てが傲慢なまでに誇張され、そして同時に全てが削ぎ落されていた。それは僕の知る限りのあらゆる観念を超えていた。彼女と彼女の耳は一体となり、古い一筋の光のように時の斜面を滑り落ちていった。

「君はすごいよ」とやっと一息ついてから僕は言った。

「知ってるわ」と彼女は言った。「これが耳を開放した状態なの」

何人かの客が振り向いて、我々のテーブルを放心したように眺めていた。コーヒーのおかわりを注ぎにきたウェイターは、うまくコーヒーが注げなかった。誰もひとことも口をきかなかった。テープデッキのリールだけがゆっくりとまわりつづけていた。

彼女はバッグからはっか煙草を出して口にくわえた。僕はあわててライターでそれに火をつけた。

「あなたと寝てみたいわ」と彼女は言った。

そして我々は寝た。

3 続・耳の開放について

しかし彼女にとっての真に偉大な時代はまだ訪れてはいなかった。それから二日か三日断続的に耳を出しただけで、彼女は再びその輝かしい奇蹟的な造形物を髪のうしろにしまいこみ、もとの平凡な女の子に戻ってしまった。それはまるで、三月の始めにためしにコートをちょっと脱いでみたといった感じだった。

「まだ耳を出す時期じゃなかったのね」と彼女は言った。

「自分の力がまだうまく自分でも把握できないのよ」

「べつにかまわないよ」と僕は言った。耳を隠した彼女もなかなか悪くなかったからだ。

☜

彼女は時折耳を見せたが、その殆んどはセックスに関する場合だった。耳を出した彼女とのセックスには何かしら奇妙な趣きがあった。雨が降っているときちんと雨の匂いがした。鳥がさえずっているときちんと鳥のさえずりが聞こえた。うまく言えないけれど、要するにそういうことだ。

「他の男と寝る時は耳を出さないの？」と僕はある時彼女に質問してみた。

「もちろんよ」と彼女は言った。「みんな私に耳があることすら知らないんじゃないかしら」

「耳を出さない時のセックスってどんなものなの？」

「とても義務的なものよ。まるで新聞紙をかじってるみたいに何も感じないの。でもいいのよ。義務を果たすのって、それはそれで悪くないから」

「でも耳を出した時のはずっとすごいんだろ？」

「そうよ」

「じゃあ出せばいい」と僕は言った。「なにもわざわざつまらない思いをすることはないじゃないか」

彼女はまじまじと僕の顔を見つめ、それからため息をついた。「あなたって、本当に何もわかっていないのね」

たしかに僕にはいろんなことがまるでわかってなかったと思う。

まずだいいちに僕を特別扱いしている理由がよくわからなかった。他人に比べて僕にとくに優れたり変ったりしている点があるとはどうしても思えなかったからだ。

僕がそう言うと彼女は笑った。

「とても簡単なことなのよ」と彼女は言った。「あなたが私を求めたから。それがいちばん大きな理由ね」

「もし他の誰かが君を求めたとしたら？」

「でも少くとも今はあなたが私を求めてるわ。それにあなたは、あなたが自分で考えているよりずっと素敵よ」

「なぜ僕はそんな風に考えるんだろう？」と僕は質問してみた。

「それはあなたが自分自身の半分でしか生きてないからよ」と彼女はあっさりと言った。「あとの半分はまだどこかに手つかずで残っているの」

「ふうん」と僕は言った。

「そういう意味では私たちは似ていなくもないのよ。私は耳をふさいでいるし、あなたは半分だけしか生きていないしね。そう思わない？」

「でももしそうだとしても僕の残り半分は君の耳ほど輝かしくないさ」

「たぶん」と彼女は微笑んだ。「あなたには本当に何もわかってないのね」

彼女は微笑を浮かべたまま髪を上げ、ブラウスのボタンをはずした。

☜

夏も終りに近づいたその九月の昼下り、僕は仕事を休んでベッドの中で彼女の髪をいじりながら、ずっと鯨のペニスのことを考えていた。海は濃い鉛色で、荒い風がガラス窓を叩いていた。天井は高く、展示室の中には僕の他に人影はなかった。鯨のペニスは鯨から永遠に切り離され、鯨のペニスとしての意味を完全に失っていた。

それから僕は妻のスリップについてもう一度考えてみた。しかし僕にはもう彼女がスリップを持っていたかどうかさえ思い出せなかった。スリップが台所の椅子にかけられたぼんやりとした実体のない風景だけが、僕の頭の隅にこびりついていた。それがいったい何を意味していたかということも思い出せなかった。まるでずっと長いあいだ誰か別の人間の人生を生きてきたような気がした。

「ねえ、君はスリップを着ないのかい？」と僕はこれという意味もなくガール・フレンドに訊ねてみた。

彼女は僕の肩から顔を上げて、ぼんやりとした目で僕を見た。

「持ってないわ」

「うん」と僕は言った。

「でも、もしあなたがその方がもっとうまくいくっていうんなら……」

「いや、違うんだ」と僕はあわてて言った。「そういうつもりで言ったわけじゃないんだよ」

「でも、本当に遠慮しなくてもいいのよ。私は仕事上そういうのには結構なれてるし、ちっとも恥かしくなんかないのよ」

「何もいらないんだ」と僕は言った。「君と君の耳だけで本当に十分なんだ。それ以上は何もいらない」

彼女はつまらなそうに首を振って僕の肩に顔を伏せた。しかし十五秒ばかりあとでもう一度顔を上げた。

「ねえ、あと十分ばかりで大事な電話がかかってくるわよ」

「電話?」僕はベッドのわきの黒い電話機に目をやった。

「そう、電話のベルが鳴るの」

「わかるの?」

「わかるの」

彼女は僕の裸の胸に頭を載せたままはっか煙草を吸った。しばらくあとで僕のへそのわきに灰が落ちたが、彼女は口をすぼめてそれをベッドの外に吹きとばした。僕は彼女の耳を指ではさんだ。素敵な感触だった。頭がぼんやりとして、その中で形のない様々なイメージが浮かんでは消えた。

「羊のことよ」と彼女は言った。「たくさんの羊と一頭の羊」

「羊？」

「うん」と言って彼女は半分ほど吸った煙草を僕に渡した。僕はそれを一口吸ってから灰皿につっこんで消した。「そして冒険が始まるの」

少しあとで枕もとの電話が鳴った。僕は彼女に目をやったが、彼女は僕の胸の上でぐっすりと眠り込んでいた。僕は四回ベルを鳴らしておいてから受話器を取った。

「すぐこちらに来てくれないか」と僕の相棒が言った。ぴりぴりとした声だった。「とても大事な話なんだ」

「どの程度に大事なんだ？」

「来ればわかるよ」と彼は言った。

「どうせ羊の話だろう」とためしに僕は言ってみた。言うべきではなかったのだ。受話器が氷河のように冷たくなった。

「なぜ知ってるんだ？」と相棒が言った。

とにかく、そのようにして羊をめぐる冒険が始まった。

第四章　羊をめぐる冒険Ⅰ

1　奇妙な男のこと・序

一人の人間が習慣的に大量の酒を飲むようになるには様々な理由がある。理由は様々だが、結果は大抵同じだ。

一九七三年には僕の共同経営者は楽しい酔払いだった。一九七六年には彼はほんの少し気むずかしい酔払いになり、そして一九七八年の夏には初期アルコール中毒に通ずるドアの把手《とって》に不器用に手をかけていた。多くの習慣的飲酒者がそうであるように、素面《しらふ》の時の彼は鋭敏とは言えないにしてもまともで感じの良い人間だった。誰もが彼を鋭敏とは言えないにしてもまともで感じの良い人間だと考えていた。彼も自分自身についてそう考えていた。だから酒を飲んだ。アルコールが入ると自分がまともで感じの良い人間であるという考え方にしっくり同化できそうな気がしたからだ。

もちろんはじめのうちはそれがうまくいった。しかし時が経ち酒量が増えるにつれて、そこに微妙な誤差が生じ、微妙な誤差はやがて深い溝となった。彼のまともさと感じの良さがあまりにも先に進みすぎて、彼自身にさえ追いつけなくなってしまったのだ。よくあるケースだ。しかし大抵の人間は自分自身をよくあるケースだと考えたりはしない。鋭敏ではない人間ならなおさらだ。彼は見失ったものと再会するために、より深いアルコールの霧の中を彷徨《さまよ》いはじめた。そして状況は一層悪くなった。

しかし少くとも今のところ、彼は日が暮れるまではまともだった。僕はもう何年も日が暮れてからの彼とは意識的に顔を合わせないようにしていたから、僕に関する限り彼はまともだった。それでも日が暮れてからの彼がまともでないことは僕もよく知っていたし、彼自身も知っていた。我々はそのことについては一切触れなかったけれど、お互いがそれを知っていることを了解していた。我々はあいかわらずうまくやってはいたけれど、もう昔のような友達ではなくなっていた。

百パーセント理解しあっているとはいえないにしても（七十パーセントもあやしいとは思うけれど）、少くとも彼は僕の大学時代の唯一の友人だったし、そんな人間がまともでなくなっていくのをすぐ近くで見るのは僕にとってもつらいことだった。しかし結局のところ、年をとるというのはそういうことなのだ。

僕が事務所に着いた時、彼は既にウィスキーを一杯飲んでいた。一杯で止めている限り彼はまともだったが、飲んでいることに変りはなかった。いつかは二杯飲むようになるかもしれない。そうなれば僕はこの会社を離れて、別の仕事を探すことになるだろう。

僕はエアコンの吹き出し口の前に立って汗を乾かしながら、女の子が持ってきてくれた冷たい麦茶を飲んだ。彼は何も言わず、僕も何も言わなかった。午後の強い日差しが幻想的なしぶきのようにリノリウムの床に降り注いでいた。眼下には公園の緑が広がり、芝生の上に寝転んでのんびりと体を焼いている人々の姿が小さく見えた。相棒はボールペンの先で左の手のひらをつついていた。

「離婚したんだって？」と彼が口を開いた。

「二ヵ月も前の話だぜ」と僕は窓の外に目をやったまま言った。サングラスをはずすと目が痛んだ。

「どうして離婚したんだ？」

「個人的なことだよ」

「知ってるよ」と彼は我慢強く言った。「個人的じゃない離婚なんて聞いたこともない」

僕は黙っていた。お互いのプライヴェートな問題に触れないことが長年にわたる我々の暗黙の了解だった。

「余計な詮索をするつもりはないんだ」と彼は言いわけした。「でも彼女とは僕も友だちだったしさ、ちょっとしたショックだったんだよ。それに君たちはずっと仲良くやってると思ってたからね」

「ずっと仲良くやってたよ。それに喧嘩別れしたわけでもない」

相棒は困った顔をして黙り込み、あいかわらずボールペンの先で手のひらをつつきつづけていた。彼は濃いブルーの新しいシャツに黒いネクタイをしめ、髪にはきちんとくしが入っていた。オーデコロンとローションの匂いは揃いだった。僕はスヌーピーがサーフボードを抱えた図柄のTシャツに、まっ白になるまで洗った古いリーヴァイスと泥だらけのテニス・シューズをはいていた。誰が見ても彼の方がまともだった。

「我々と彼女が三人で働いてた頃のことを覚えてるか?」

「よく覚えてるよ」と僕は言った。

「あの頃は楽しかったよ」と相棒は言った。

僕はエアコンの前を離れて部屋の中央にあるスウェーデン製のスカイブルーのふわふわとしたソファーに腰を下ろし、応接用のシガレット・ケースからフィルターつきのポールモールを一本取って重い卓上ライターで火を点《つ》けた。

「それで?」

「結局のところ、我々は少し手を広げすぎたんじゃないかって気がするんだ」

「君がいってるのは広告とか雑誌のことだな?」

相棒は肯《うなず》いた。彼がそれを言いだすまでにずいぶん悩んだに違いないと思うと少し気の毒になった。僕は卓上ライターの重みを確かめ、それからねじをまわして炎の長さを調節した。

「君の言わんとすることはわかる」と僕は言ってライターをテーブルの上に戻した。「でもよく思い出してくれよ。そういった仕事はそもそも僕が取ってきたわけでもないし、僕がやろうと言いだしたわけでもないんだぜ。君が取ってきて、君がやってみようと言ったんだ。そうだろ?」

「断り切れない事情もあったし、その時はちょうど暇だったし……」

「金にもなった」

「金にはなったよ。おかげで広い事務所には引越せたし、人も増えた。車も買い換えたし、マンションも買ったし、二人の子供を金のかかる私立学校にも入れた。三十にしちゃ金のある方だと思うよ」

「君が稼いだんだ。恥じることはないさ」

「恥じてなんかいないよ」と相棒は言った。そして机の上に放り出したボールペンを手に取って、手のひらのまんなかを何度か軽く突いた。「でもさ、昔のことを思うとなんだか嘘みたいな気がするんだ。二人で借金を抱えて翻訳の仕事を集めてまわったり、駅前でビラを配ってた頃のことがさ」

「今だって配りたきゃ二人でビラを配ったっていいんだぜ」

相棒は顔を上げて僕を見た。「なあ、冗談で言ってるんじゃないんだ」

「こっちもそうだよ」と僕は言った。

我々はしばらく黙った。

「いろんなものが変っちゃったよ」と相棒が言った。「生活のペースやら考え方がさ。だいいち俺たちが本当にどれだけもうけているのか、俺たち自身にさえわからないんだぜ。税理士が来てわけのわからない書類を作って、なんとか控除だとか減価償却だとか税金対策だとか、そんなことばかりやってるんだ」

「どこでもやってることだよ」

「わかってるさ。そうしなきゃいけないことだってわかってるし、実際にやってるよ。でも昔の方が楽しかった」

「生ひたつにつれ牢獄《ひとや》のかげは、われらのめぐりに増えまさる」と僕は古い詩の文句を口ずさんだ。

「なんだい、それは？」

「なんでもないよ」と僕は言った。「それで？」

「今ではなんだか搾取《さくしゅ》してるみたいな気がするんだ」

「搾取？」僕は驚いて顔を上げた。我々のあいだには二メートルほどの距離があり、椅子の高さの関係で彼の頭は僕より二十センチばかり上にあった。彼の頭のうしろには石版画がかかっていた。見たことのない新しい石版画で、羽根のはえた魚の絵だった。魚は自分の背中に羽根がはえていることにあまり満足しているようには見えなかった。たぶん使い方がうまくわからないのだろう。「搾取？」と僕はもう一度、今度は自分に対して問いかけてみた。

「搾取だよ」

「いったい誰から？」

「いろんなところから少しずつ」

僕はスカイブルーのソファーの上で足を組んで、ちょうど目の高さにある彼の手と、彼の手の中にあるボールペンの動きをじっと眺めていた。

「とにかく、我々は変ったと思わないか？」と相棒は言った。

「同じだよ。誰も変ってない、何も変ってない」

「本当にそう思ってる？」

「そう思ってる。搾取なんて存在しない。そんなものはお伽話《とぎばなし》さ。君だって救世軍のラッパが本当に世界を救えると思ってるわけじゃないだろう？　君は考えすぎるんだよ」

「まあいい、きっと俺は考えすぎるんだ」と相棒は言った。「先週君は、つまり我々は、マーガリンの広告コピーを作った。実際のところ悪くないコピーだった。評判も良かった。でも君はこの何年かマーガリンを食べたことなんてあるのか？」

「ないよ。マーガリンは嫌いなんだ」

「俺もないよ。結局そういうことさ。少くとも昔の俺たちはきちんと自信の持てる仕事をして、それが誇りでもあったんだ。それが今はない。実体のないことばをただまきちらしてるだけさ」

「マーガリンは健康にいいよ。植物性脂肪だし、コレステロールも少い。成人病になりにくいし、最近は味だって悪くない。安いし、日もちがする」

「じゃあ自分で食べろよ」

僕はソファーに沈み込んで、ゆっくりと手足をのばした。

「同じだよ。我々がマーガリンを食べても食べなくても、結局は同じことなんだ。地味な翻訳仕事だってインチキなマーガリンの広告コピーだって根本は同じさ。たしかに実体のないことばを我々はまきちらしている。しかし実体のあることばがどこにある？　いいかい、誠実な仕事なんてどこにもないんだ。誠実な呼吸や誠実な小便がどこにもないようにさ」

「君は昔はもっとナイーブだったぜ」

「そうかもしれない」と言って僕は灰皿の中で煙草をもみ消した。「きっとどこかにナイーブな町があって、そこではナイーブな肉屋がナイーブなロースハムを切ってるんだ。昼間からウィスキーを飲むのがナイーブだと思うんなら好きなだけ飲めばいいさ」

ボールペンが机を叩くコツコツという音だけが長いあいだ部屋を支配していた。

「悪かった」と僕は謝った。「そういう言い方をするつもりはなかったんだ」

「べつにいいよ」と相棒は言った。「たしかにそうかもしれないな」

エアコンのサーモスタットがかたんと音を立てた。おそろしく静かな午後だった。

「自信を持てよ」と僕は言った。「我々は我々だけの力でここまでやってきたんじゃないか。誰にも貸しも借りもない。バックがあったり肩書きがついたりするだけでふんぞりかえってるその辺の連中とはわけが違うんだ」

「我々は昔友だちだったたな」と相棒が言った。

「今でも友だちだよ」と僕は言った。「ずっと力をあわせてやってきたんだ」

「離婚してほしくなかったんだ」

「知ってるよ」と僕は言った。「でもそろそろ羊の話をしないか?」

彼は肯いてボールペンをペン皿に戻し、指の先で瞼《まぶた》をこすった。

「その男が来たのは今朝の十一時だった」と相棒は言った。

2　奇妙な男のこと

その男がやってきたのは朝の十一時だった。我々のような小さな規模の会社にとっては二種類の朝の十一時がある。つまり、おそろしく忙しいか、おそろしく暇かのどちらかだ。その中間というものがない。だから午前十一時には我々は何も考えずにばたばたと働いているか、それとも何も考えずにぼんやりと夢のつづきを見ているかということになる。中間的な仕事は（もしそんなものがあればのことだが）午後のためにとっておけばいいのだ。

その男がやってきたのは後者の方の午前十一時だった。それも記念碑的に暇な午前十一時だ。九月の前半に気違いじみて忙しい日々が続き、それが終ると仕事はばったりと途絶《とだ》えた。僕を含めた三人の人間が一ヵ月遅れの夏の休暇を取ったが、それでも残った連中には鉛筆を削る程度の仕事しかなかった。相棒は小切手を切りに銀行にでかけ、一人は近所にあるオーディオ・メーカーのショールームで新譜レコードをひとかかえ聴いて時間をつぶし、たった一人会社に残った女の子は電話番をしながら女性誌の「秋のヘア・スタイル」というページを読んでいた。

男は音もなく事務所のドアを開け、音もなく閉めた。しかし男は意識的に静かにふるまったわけではなかった。全てが習慣的で自然だった。あまりにも習慣的で自然だったので、彼女には男が入ってきたということすらうまく実感できないほどだった。彼女が気づいた時には男は机の前に立って、彼女を見下ろしていた。

「責任者に取りついでいただきたい」と男は言った。手袋で机の上のほこりを払うようなしゃべり方だった。

いったい何が起ったのか、彼女にはさっぱりわからなかった。彼女は顔を上げて男を見た。男は仕事の取り引き先にしては目つきが鋭すぎたし、税務署員にしては身なりが良すぎたし、警察官にしては知性的に過ぎた。それ以外の職業は彼女には思いつけなかった。男は洗練された不吉なニュースのように彼女の前に突然現われ、たちはだかっていた。

「ただ今外出しております」と彼女は雑誌をあわてて閉じて言った。「あと三十分ばかりで戻ると申しておりましたが」

「待つよ」と一瞬の躊躇《ちゅうちょ》もなく男は言った。そんなことははじめからわかっているといった感じだった。

彼女は相手の名前を訊こうかと迷ったが、やめて男を応接間に通した。男はスカイブルーのソファーに腰を下ろし、足を組み、正面の壁の電気時計に目をやったまま静止した。余計な動作は何ひとつなかった。あとで麦茶を持っていった時も、彼はその姿勢のままぴくりとも動かなかった。

「君がいま座っているのとちょうど同じ場所だよ」と相棒は言った。「そこに座ったまま、まるまる三十分同じ姿勢で時計を眺めていたんだ」

僕は自分の座っているソファーのへこみを眺め、それから壁の電気時計を見上げた。それからもう一度相棒を見た。

九月の後半にしては異常なほどの外の暑さにもかかわらず、男は実にきちんとした身なりをしていた。仕立ての良いグレーのスーツの袖からは白いシャツが正確に一・五センチぶんのぞき、微妙な色調のストライプのネクタイはほんの僅《わず》かだけ左右不対称になるように注意深く整えられ、黒いコードヴァンの靴はぴかぴかに光っていた。

年は三十代半ばから四十にかけて、身長は百七十五センチあまり、しかも余分な肉は一グラムたりともついてはいない。細い手にはしわひとつなく、すらりとした十本の長い指は長い年月をかけて訓練され、統御されてこそいるものの心の底には原初の記憶を抱きつづける群生動物を連想させた。爪は時間と手間をかけて完璧なまでに磨きあげられ、指の先に十個の見事な楕円を描いていた。実に美しくはあるが、どことなく奇妙な手だった。その手は極めて限定された分野における高度な専門性を感じさせたが、それがどのような分野であるのかは誰にもわからなかった。

男の顔はその手ほど多くを語ってはいなかった。端整な顔だちではあったが無表情で、平板だった。鼻筋も目もあとからカッター・ナイフでととのえたように直線的で、唇は細く乾いていた。男は全体的に浅黒く日焼けしていたが、それがどこかの海岸やテニス・コートで冗談半分に焼かれたものでないことは一目見ればわかった。我々の知らない種類の太陽が我々の知らない場所の上空に輝いていて、それがこのような種類の日焼けを作り出すのだ。

時間は驚くほどゆっくりと流れた。それは天に向けてそびえ立つ巨大な機械装置の一個のボルトを思わせる冷ややかで硬質な三十分だった。相棒が銀行から帰ってきた時、部屋の空気がひどく重くなっているように感じられた。極端に言えば、部屋の中にある何もかもが釘で床に固定されたような、そんな感じだった。

「もちろん、そういう感じがしたというだけのことだよ」と相棒は言った。
「もちろん」と僕は言った。

一人で電話番をしていた女の子は緊張感のためにもうぐったりと疲れ切っていた。相棒がわけのわからないまま応接室に入り、自分が経営者であると名乗ると男ははじめて姿勢を崩し、胸のポケットから細い煙草を取り出して火を点《つ》け、煩《わずら》わしそうに煙を宙に吐き出した。あたりの空気がほんの少しだけゆるんだ。
「あまり時間がないので、手短かにやりましょう」と男は静かに言った。そして札入れからぴしりとした手の切れそうな名刺を取り出し、机の上に置いた。名刺はプラスチックに似た特殊な紙でできていて、不自然なほど白く、そこには小さな黒々とした活字で名前が印刷されていた。肩書きもなければ住所も電話番号もなし。ただ四文字の名前だけだった。見ているだけで目が痛くなるような名刺だった。相棒は裏返してみて、そこがまったくの白紙であることを確かめてからもう一度表を眺め、そして男の顔を見た。

「その方のお名前は御存じですね？」と男は言った。

「存じています」

男は顎《あご》の先を何ミリか動かして短かく肯いた。視線だけがぴくりとも動かなかった。

「焼いて下さい」

「焼く？」相棒はぽかんとして相手の目を見つめた。

「その名刺を、今すぐ、焼き捨てて下さい」と男は言葉を切るようにして言った。

相棒はあわてて卓上ライターを手に取り、白い名刺の先に火を点けた。そして端を手に持ったまま半分ばかり焼いてから大きなクリスタルの灰皿に入れ、二人でそれが燃えつきて白い灰になるのを向いあって眺めていた。名刺が完全な灰になってしまうと部屋は大量虐殺の直後を思わせる重い沈黙に覆われた。

「私はその方から全権を委任されて、ここに来ています」としばらくあとで男は口を開いた。「つまり、私がこれからあなたに申し上げることは全てその方の意志であり、希望であると理解していただきたい」

「希望……」と相棒は言った。

「希望というのはある限定された目標に対する基本的姿勢を最も美しいことばで表現したものです。もちろん」と男は言った。「別の表現方法もある。おわかりですね？」

相棒は頭の中で男の科白《せりふ》を現実的な日本語に置き換えてみた。「わかります」

「とはいっても、これは概念的な話でも政治的な話でもなく、あくまでビジネスの話です」男は「ビジネス」ということばを「ビズィネス」ときちんと発音した。おそらく日系の二世か何かなのだろう。

「あなたもビジネス・マンだし、私もビジネス・マンです。現実的に言っても、我々のあいだにはビジネス以外に話すべきことは何もない。非現実的なことは誰かべつの人たちに任せましょう。そうですね？」

「そのとおりです」と相棒は答えた。

「そのような非現実的なファクターをソフィスティケートされた形態に置き換えて現実の大地にはめこんでいくのが我々の役目です。人は往々にして非現実に走ろうとします。なぜなら」と言って男は左手の中指にはめた緑色の石の指輪を右の指先でいじった。「その方が簡単そうに見えるからです。そしてある場合には非現実が現実を圧倒したかのような印象を与える場合も往々にしてあります。しかし非現実の世界ではビジネスは存在しません。つまり我々は困難を指向する人種なのです。だからもし」と言って男はことばを切りもう一度指輪をいじった。「これから私の申し上げることが、あなたになんらかの困難な作業あるいは決断を要求するとしても、それは許していただきたい——ということです」

相棒はよく理解できないまま黙って肯いた。

「それでは当方の希望を申し上げます。まず第一に、おたくで製作されたP生命のPR誌の発行を即刻中止していただきたい」

「しかし……」

「第二に」と男は相棒の言葉を押しとどめた。「このページの担当者と直接会って話がしたい」

男はスーツの内ポケットから白い封筒を出し、中から四ツ折りにした紙片を取り出して相棒にわたした。相棒は紙片を手に取って広げ、眺めた。それはたしかに我々の事務所で製作した生命保険会社のグラビア・ページのコピーだった。北海道の平凡な風景写真——雲と山と羊と草原、そしてどこかから借用したあまりぱっとしない牧歌的な詩、それだけだ。

「このふたつが我々の希望です。第一の希望に関していえば、これは希望というよりは既に確定した事実です。正確に言うなら、我々の希望に沿った決定が既になされたわけです。御不審の点があればあとで広報課長に電話してみて下さい」

「なるほど」と相棒は言った。

「しかしあなたがたのスケールの会社にとってはこのようなトラブルから受けるダメージが極めて大きなものであることも容易に想像できます。幸い我々は――あなたも御存じのように――この業界では少なからず力を持っています。だから我々の第二の希望を叶《かな》えていただけ、その担当者が我々に満足のいく情報を与えてくれるなら、我々はあなた方の受けたダメージに対して十分な埋めあわせをさせていただく用意があります。おそらくは埋めあわせ以上のものです」

沈黙が部屋を支配した。

「もし希望が叶えていただけなければ」と男は言った。「あなた方はどのみちアウトです。これから先ずっと、この世界にはあなた方の入り込む場所はありません」

そして再び沈黙。

「何か質問はありますか?」

「つまり、この写真が問題なわけですね?」と相棒はおそるおそる質問した。

「そうです」と男は言った。そして手のひらの上で注意深く言葉を選りわけた。「そのとおりです。しかしそれ以上のことはあなたには申し上げられません。そういう権限は私には与えられていないのです」

「担当者には電話で連絡を取ります。三時にはここにいると思います」と相棒は言った。

「結構です」と言って男は腕時計に目をやった。「それでは四時に車をよこします。それからこれは重要なことですが、この件に関しては一切他言は無用です。よろしいですね？」

そして二人はビジネスライクに別れた。

3　「先生」のこと

「ということだよ」と相棒は言った。

「さっぱりわけがわからないな」僕は火のついていない煙草を口にくわえたまま言った。

「まず名刺の人物がいったい誰なのかがわからない。それからその人物がどうして羊の写真を気に病むのかがわからない。最後にその人物がどうして我々の発行物を差し止めることができるのかがわからない」

「名刺の人物は右翼の大物だよ。名前も顔も殆んど表に出さないから一般にはあまり知られてはいないが、この業界では知らないものはいない。知らないのはたぶん君くらいのもんだろう」

「世事に疎《うと》いんだ」と僕は言いわけした。

「右翼と言っても、いわゆる右翼じゃない。というか右翼ですらない」

「ますますわからないな」

「本当のことを言うと、彼が何を考えているかは誰にもわからないんだ。著作集を出しているわけでもないし、人前で演説をするわけでもない。インタヴューも写真撮影も一切許可されない。生きているか死んでいるかさえわからないくらいさ。五年前にある月刊誌の記者が彼が絡んだ不正融資事件をスクープしかけたんだが、すぐに握りつぶされた」

「ずいぶん詳しいね」

「その記者と間接的な知りあいだったんだ」

僕はライターでくわえていた煙草に火を点けた。「その記者は今何をしてるんだ?」

「営業部にまわされて朝から晩まで伝票の整理をしてるよ。マスコミの世界というのは意外に狭いからね、そういうのは結構いいみせしめになるんだ。アフリカの村の入口に骸骨《がいこつ》が飾ってあるようなもんさ」

「なるほど」と僕は言った。

「しかし戦前の彼の略歴についてはある程度のことはわかっている。一九一三年に北海道で生まれ、小学校を出ると東京に出て転々と職を変え、右翼になった。一度だけ刑務所に入ったと思う。刑務所から出て満州に移り、関東軍の参謀クラスと仲良くなって、謀略関係の組織を作った。その組織の内容まではよくわからない。彼はこのあたりから急に謎の人になってくるんだ。麻薬を扱っていたという噂だが、たぶんそのとおりだろう。そして中国大陸をあらしまわったあとで、ソ連が参戦する二週間前に駆逐艦に乗って本土に引きあげてきた。抱えきれないくらいの貴金属と一緒にね」

「なんというか、絶妙のタイミングだな」

「実際この人物はタイミングを捉えるのが実にうまいんだ。攻めどきと引きどきを心得てる。それから目のつけどころが良い。占領軍もＡ級戦犯で逮捕したものの、調査は途中で打ち切られて不起訴になった。理由は病気のためだが、このあたりはうやむやなんだ。おそらく米軍とのあいだに取り引きがあったんだろうな。マッカーサーは中国大陸を狙っていたからね」

相棒はペン皿からまたボールペンをひっぱり出して、指のあいだでぐるぐるとまわした。

「さて、彼は巣鴨から出てくると、どこかに隠しておいた財宝をふたつにわけ、その半分で保守党の派閥をまるごと買い取り、あとの半分で広告業界を買い取った。まだ広告業なんてのが、ちらしくらいにしか考えられてなかった時代にだぜ」

「先見の明と言うべきだな。でも隠匿資産についてのクレームは出なかったのかい?」

「よせよ。保守党の派閥をひとつ買い取ってるんだぜ」

「そりゃそうだ」と僕は言った。

「とにかく彼はその金で政党と広告を押え、その構造は今でも続いてる。彼が表面に出ないのは、出る必要がないからなんだ。広告業界と政権政党の中枢を握っていれば、できないことはまずないからね。広告を押えるというのがどういうことか君にはわかるか?」

「いや」

「広告を押えるというのは出版と放送の殆んどを押えたことになるんだ。広告のないところには出版と放送は存在しない。水のない水族館のようなもんさ。君が目にする情報の九十五パーセントまでは既に金で買われて選りわけられたものなんだ」

「まだわからないな」と僕は言った。「その人物が情報産業を掌握しているところまではよくわかったよ。しかしなぜ彼が生命保険会社のＰＲ誌にまで力を行使できるんだ？　あれは大手の代理店を通してない直接契約じゃないか」

相棒は咳払いをしてから、すっかりぬるくなってしまった麦茶の残りを飲んだ。「株だよ。奴の資金源は株なんだ。株式操作、買い占め、乗取り、そういうことさ。そのための情報を彼の情報機関が収集し、それを彼が取捨選択するんだ。そのうちマスコミに流れるものはごく一部でね、残りは先生が自分のために取っておくわけだよ。もちろん直接にではないけれど脅迫まがいのこともやる。脅迫が効かない場合には、その情報はマッチポンプ用に政治家に流れる」

「どこの会社にも弱みのひとつくらいはあるってわけだな」

「どこの会社だって株主総会で爆弾発言はされたくないからね。言うことは大抵聞いてくれる。つまり先生は政治家と情報産業と株という三位一体の上に鎮座ましましているわけさ。それでわかったと思うけれど、彼にとってはＰＲ誌を一冊つぶしたり我々を失業者にするくらい、ゆで玉子をむくより簡単なことなんだよ」

「ふうん」と僕はうなった。「しかしそれほどの大物がどうして北海道の風景写真一枚を気にするんだ」

「実に良い質問だな」と相棒はたいして感動的でもなさそうに言った。「ちょうど僕が君にしようとしていたのと同じ質問だよ」

我々は黙った。

「ところで何故羊の話だってわかったんだ？」と相棒は言った。「何故だ？ 俺の知らないところでいったい何が起ってるんだ？」

「縁の下で名もない小人が紡《つむ》ぎ車をまわしてるんだよ」

「もう少しわかりやすく言ってくれないか？」

「第六感だよ」

「やれやれ」と相棒はため息をついた。「それはともかく最新情報が二つある。さっき言った月刊誌の記者に電話で聞いてみたんだ。ひとつは先生が脳卒中かなんかで倒れて再起不能になっているって話だ。でもこれは正式には確認されていない。もうひとつはここに来た男のことだ。彼は先生の第一秘書で、組織の現実的な運営を任されているいわばナンバー・ツーだ。日系二世でスタンフォードを出て、十二年前から先生の下で働いている。わけのわからない男だけど、おそろしく頭は切れるらしい。わかったのはそれくらいだよ」

「ありがとう」と僕は礼を言った。

「どういたしまして」と相棒は僕の顔も見ずに言った。

彼は酒を飲みすぎていない限り、どう考えても僕よりずっとまともだった。僕よりずっと親切でナイーブできちんとしたものの考え方をした。しかし遅かれ早かれ彼は酔払うことになる。そう考えるのは辛かった。僕よりまともな人間の多くが僕より先に駄目になっていくのだ。

相棒が部屋を出ていったあとで、僕は引出しから彼のウィスキーを見つけ出して一人で飲んだ。

4　羊を数える

我々は偶然の大地をあてもなく彷徨《さまよ》っているということもできる。ちょうどある種の植物の羽根のついた種子が気紛れな春の風に運ばれるのと同じように。

しかしそれと同時に偶然性なんてそもそも存在しないと言うこともできる。もう起ってしまったことは明確に起ってしまったことであり、まだ起っていないことはまだ明確に起っていないことである、と。つまり我々は背後の「全て」と眼前の「ゼロ」にはさまれた瞬間的な存在であり、そこには偶然もなければ可能性もない、ということになる。

しかし実際にはそのふたつの見解のあいだにたいした違いはない。それは（大方の対立する見解がそうであるように）ふたつの違った名前で呼ばれる同一の料理のようなものである。

これは比喩だ。

僕がPR誌のグラビアに羊の写真を載せたことは一方の観点（a）から見れば偶然であり、他方の観点（b）から見れば偶然ではない。

（a）　PR誌のグラビア・ページにふさわしい写真を僕は探していた。僕の机のひきだしには偶然羊の写真が入っていた。そして僕はその写真を使った。平和な世界の平和な偶然。

（b）羊の写真は机のひきだしの中でずっと僕を待ちつづけていた。その雑誌のグラビアに使わなかったとしても、いつか僕はそれをべつの何かに使ったことだろう。

考えてみれば、この公式は僕がこれまでに辿《たど》った人生の全ての断面に適用できるかもしれない。もっと訓練すれば、僕は右手で（a）的な人生を操《あやつ》り、左手で（b）的な人生を操ることができるようになるかもしれない。しかしまあ、これはどうでもいいことだ。ドーナツの穴と同じことだ。ドーナツの穴を空白として捉えるか、あるいは存在として捉えるかはあくまで形而上的な問題であって、それでドーナツの味が少しなりとも変るわけではないのだ。

相棒が用事で出ていってしまうと部屋は急にがらんとした。電気時計の針だけが音もなく回りつづけていた。車が迎えに来る四時まではまだ間があったし、しなければならない仕事は何もなかった。隣りの仕事場もしんとしていた。

僕はスカイブルーのソファーの上でウィスキーを飲み、ふわふわとしたタンポポの種子のようにエア・コンディショナーの気持の良い風に吹かれながら、電気時計の針を眺めていた。電気時計を眺めている限り、少くとも世界は動きつづけていた。たいした世界ではないにしても、とにかく動きつづけてはいた。そして世界が動きつづけていることを認識している限り、僕は存在していた。たいした存在ではないにしても僕は存在していた。人が電気時計の針を通してしか自らの存在を確認できないというのは何かしら奇妙なことであるように思えた。世の中にはもっと別の確認方法があるはずなのだ。しかしどれだけ考えてみても適当なものは何ひとつ思いつけなかった。

僕はあきらめてウィスキーをもうひと口飲んだ。熱い感触が喉を越え、食道の壁をつたい、手際良く胃の底に下りていった。窓の外にはまっ青な夏の空と白い雲が広がっていた。それは綺麗な空だったが、どことなく使い古された中古品みたいに見えた。競売にかけられる前に薬用アルコールで見栄《みば》えよく磨きあげられた中古品の空だった。僕はそんな空のために、昔は新品だった夏の空のために、もうひと口ウィスキーを飲んだ。悪くないスコッチ・ウィスキーだった。そして空の方も見慣れてしまえばそれほど悪くはなかった。ジャンボ・ジェットが窓を左から右にかけてゆっくりと横切っていった。それはきらきらと光る固い殻に覆われた虫のように見えた。

二杯めのウィスキーを飲み終えた時、僕は「いったい何故僕はここにいるんだろう?」

という疑問に襲われた。

いったい僕は何を考えていたんだろう？

羊だ。

僕はソファーから起きあがり、相棒の机の上にあったグラビア・ページのコピーを手に取り、ソファーの上に戻った。そしてウィスキーの味の残った氷をなめながら写真を二十秒ばかりじっと眺め、その写真が何を意味するのかを我慢強く考えてみた。

写真には羊の群れと草原が写っていた。草原がとぎれるあたりには白樺の林が連なっている。北海道特有の巨大な白樺だ。近所の歯医者の玄関わきにまにあわせにはえているようなちゃちな白樺じゃない。四頭の熊が同時に爪を研げそうなほどどっしりとした白樺だ。葉の繁り具合から見ると、季節は春のように見えた。背後の山の頂きにはまだ雪が残っていた。中腹の谷あいにも幾らか残っている。四月か五月というところだろう。雪溶けで地面がぐしゃぐしゃとした季節だ。空は青く（おそらく青いのだろう。モノクロームの写真からは青だというはっきりとした確信は持てなかった。あるいはサーモン・ピンクなのかもしれない）、白い雲は山の上に薄くたなびいていた。どれだけ考えてみても羊の群れが意味するものは羊の群れであり、白樺林の意味するものは白樺林であり、白い雲の意味するものは白い雲だった。それだけだ。それ以外には何もない。

僕はテーブルの上にその写真を放り投げ、煙草を一本吸ってあくびをした。それからもう一度写真を手に取り、今度は羊の数を数えてみた。しかし草原はあまりに広く、羊はピクニックの昼食どきみたいな感じでばらばらに散らばっていたので、遠くの方に行けば行くほどそれが羊なのかそれともただの白い点なのかは不明確になり、そのうちにただの白い点なのかそれとも目の錯覚なのかが不明確になり、最後には目の錯覚なのか虚無なのかわからなくなった。仕方なく僕は一応羊であると確信できるものだけをボールペンの先で数えてみた。三十二というのがその数字だった。三十二頭の羊。何の変哲もない風景写真だ。構図がきまっているわけでもないし、これといって味わいがあるわけでもない。

しかしそこにはたしかに何かがあった。トラブルの匂いだ。それは僕がはじめてそれを目にした時にも感じたことだし、この三ヵ月間ずっと感じつづけてきたことだった。

僕は今度はソファーに寝転んで顔の上に写真をかざし、羊の数をもう一度数えなおしてみた。三十三頭。

三十三頭?

僕は目を閉じて首を振り、頭の中を空っぽにした。まあいいさ、と僕は思う。たとえ何が起こるにせよ、まだ何も起こってないんだ。そして何かが起こったとすれば、それはもう起こってしまったことなのだ。

僕はソファーに横になったまま、再び羊の数に挑戦してみた。そしてそのまま昼下りの二杯のウィスキー風の深い眠りに落ちた。眠り込む前に、僕は一瞬新しいガール・フレンドの耳のことを考えた。

5　車とその運転手(1)

迎えの車は予告どおり四時にやってきた。鳩時計みたいに正確だった。女の子が僕を深い眠りの穴からひきずり出してくれた。僕は洗面所でざっと顔を洗ったが、眠気はいっこうに去らなかった。エレベーターに乗って下に着くまでに三回あくびをした。誰かに何かを訴えているようなあくびだったが、訴えているのも訴えられているのも僕だった。

その巨大な車はビルの玄関前の路上に潜水艦みたいに浮かんでいた。つつましい一家ならボンネットの中で暮せそうなくらい巨大な車だった。窓ガラスはくすんだブルーで、外から中がのぞきこめないようになっていた。車体は実に見事な黒塗りで、バンパーからホイール・キャップに至るまでしみひとつない。

車のわきには清潔な白いシャツにオレンジ色のネクタイをしめた中年の運転手がしゃんとした姿勢で立っていた。本物の運転手だった。彼は僕が近づくと何も言わずにドアを開け、僕がきちんと座席につくのを見届けてからドアを閉めた。そして自分も運転席に乗り込んでドアを閉めた。何から何まで新しいトランプのカードを一枚ずつめくる程度の音しかしなかった。友人から払い下げてもらった僕の十五年もののフォルクスワーゲン・ビートルに比べれば、耳栓をつけて湖の底に座っているような静かさだった。

車の内装もたいしたものだった。おおかたの車に関するアクセサリーがそうであるように決して趣味が良いとは言えなかったが、それでもたいしたものであることに違いはなかった。広々とした後部座席のまんなかにはシックなデザインのプッシュホンが埋め込まれて、その隣りには銀製のライターと灰皿とシガレット・ケースが揃いで並んでいた。運転席の背中には折りたたみ式のデスクと小さなキャビネットが取り付けられて、書きものをしたり簡単な食事をしたりできるようになっていた。エアコンの風は静かで自然だったし、床に敷きつめられたカーペットは柔かかった。

気がついた時、車は既に動いていた。まるで金だらいに乗って水銀の湖面を滑っているような気がした。僕はこの車にいったいどれだけの金が使われたのか考えてみたが、考えただけ無駄だった。全ては僕の想像力の範囲を越えていた。

「何か音楽でもおかけしましょうか？」と運転手が言った。

「なるべく眠そうなのがいいな」と僕は言った。

「かしこまりました」

運転手は座席の下から手さぐりでカセット・テープを選び出し、ダッシュボードのスイッチを押した。どこかに巧妙に隠されたスピーカーから無伴奏チェロ・ソナタが静かに流れ出した。申しぶんのない曲で、申しぶんのない音だった。

「いつもこの車で客の送り迎えをしているんですか」と僕は質問してみた。

「そうです」と運転手は注意深く答えた。

「最近はずっとそうです」

「へえ」と僕は言った。

「これはもともとは先生専用の車だったんです」としばらくあとで運転手は言った。運転手は見かけよりはずっと人なつっこそうだった。「でも今年の春に具合が悪くなられてからはもう外におでかけになりませんし、かといって車を遊ばせておくのも無駄なもんですから。それに御存知かとも思いますが、車というものは定期的に動かしておかないと性能が低下するんです」

「なるほど」と僕は言った。とすると先生の具合が悪いのは機密事項というわけでもないのだ。僕はシガレット・ケースの煙草を一本手に取って眺めてみた。ブランド名のないオリジナルの両切りで、鼻に近づけてみるとロシア煙草に近い匂いがした。僕は吸おうかポケットにとっておこうかしばらく迷ってから思いなおしてもとに戻した。ライターとシガレット・ケースには中央にこった図柄の紋章が刻み込まれていた。羊の紋章だった。

羊？

何を考えても無駄であるような気がしたので、僕は頭を振って目を閉じた。あの耳の写真をはじめて目にした午後以来、いろんなことが僕の手に負えなくなりはじめているようだった。

「目的地までどれくらいかかるのかな？」と僕は訊ねてみた。

「三十分から四十分、まあ道路の混み方にもよりますが」

「じゃあ少し冷房をゆるめてもらえないかな。昼寝のつづきをしたいもので」

「承知致しました」

運転手はエアコンを調節してからダッシュボードのスイッチのどれかを押した。ぶ厚いガラスがするするとせりあがってきて、運転席と座席のあいだを遮断《しゃだん》した。座席はバッハの音楽をのぞけばほぼ完全といっていいくらいの沈黙に包まれた。しかし僕はその頃にはもう大抵のことには驚かなくなっていた。僕はバックシートに頬を埋めて眠っていた。

夢の中には乳牛が出てきた。わりにこざっぱりとしているが、それなりに苦労もしてきたといったタイプの乳牛である。我々は広い橋の上ですれちがった。気持の良い春の昼さがりだった。乳牛は片手に古い扇風機をさげていて、僕にそれを安く買い取ってくれませんかと言った。金はない、と僕は言った。本当になかったのだ。

それじゃやっとこと交換でもいいですが、と乳牛は言った。悪くない話だった。僕は乳牛と一緒に家に帰り一所懸命やっとこを探した。しかしやっとこはみつからなかった。

「おかしいなあ」と僕は言った。「本当に昨日まではあったんだよ」

僕が上の戸棚を捜すために椅子を持ち出したところで、運転手が僕の肩を叩いて起こした。

「着きました」と運転手は簡潔に言った。

ドアが開いて、夕方に近い夏の太陽が僕の顔を照らしていた。何千匹もの蟬が時計のねじを巻くみたいに鳴いていた。土の匂いがした。

僕は車を降り、背中をのばして深呼吸をした。そして夢が象徴的な種類のものでないことを祈った。

6　いとみみず宇宙とは何か？

象徴的な夢があり、そんな夢が象徴する現実がある。あるいは象徴的な現実があり、そんな現実が象徴する夢がある。象徴はいわばいとみみず宇宙の名誉市長だ。いとみみず宇宙にあっては乳牛がやっとこを求めていても何の不思議もない。乳牛はいつかやっとこを手に入れるだろう。僕には関係のない問題だ。

しかしもし乳牛が僕を利用してやっとこを手に入れようとしているのであれば、状況はがらりと違ってくる。僕はまるで考え方の違う宇宙に放り込まれてしまうことになる。考え方の違う宇宙に放り込まれていちばん困ることは話が長くなることである。僕が乳牛に訊ねる、「何故君はやっとこを欲しがるんだい？」。乳牛が答える、「とても腹が減ってるんですよ」。僕が訊ねる、「どうして腹が減ったらやっとこがいるんだい？」。乳牛が答える、「桃の木の枝に結びつけるんですよ」。僕が訊ねる、「どうして桃の木なんだい?」。乳牛が答える、「だから扇風機を手放したんじゃありませんか?」。きりがないのだ。そしてきりのないままに僕は乳牛を憎みはじめ、乳牛は僕を憎みはじめる。それがいとみみず宇宙だ。そんな宇宙から脱け出すためにはもう一度べつの象徴的な夢を見るしかない。

一九七八年の九月の午後にその巨大な四輪車が僕をつれこんだのは、まさにそのようないとみみず宇宙の中心であった。要するに、祈りは却下されたのだ。

僕はあたりを見まわしてから思わずため息をついた。ため息をつくだけの価値はあった。

車は小高い丘の中心に停まっていた。背後には車が上ってきたらしい砂利道がつづき、それはわざとらしくくねくねと曲りながら遠くに見える門に通じていた。道の両側には糸杉と水銀灯が鉛筆たてみたいに等間隔に並んでいる。ゆっくり歩けば門までおそらく十五分くらいはかかるだろう。糸杉のそれぞれの幹には数え切れないほどの蟬がしっかりとしがみついて、世界が終末に向って転がり始めたといった風に鳴きわめいていた。

糸杉の並木の外側はきちんと刈り込まれた芝生で、その傾斜に沿ってどうだんつつじやらあじさいやらその他わけのわからない植物がとりとめもなく散らばっていた。むくどりの一群が芝生の上を気紛れな流砂のように右から左へと移動していた。

丘の両脇には狭い石段があって、右手に下りれば石灯籠と池のある日本風の庭園、左に下りれば小さなゴルフ・コースになっていた。ゴルフ・コースのわきにはラムレーズン・アイスクリームのような色あいの休憩用のあずまやがあり、その向うにはギリシャ神話風の石像があった。石像の向うには巨大なガレージがあり、別の運転手が別の車にホースで水をかけていた。車の種類まではわからなかったが、中古のフォルクスワーゲンでないことだけはたしかだった。

僕は腕を組んだままもう一度ぐるりと庭を見渡した。文句のつけようのない庭だったが、少々頭が痛んだ。

「郵便受けはどこにあるんだろう?」と念のために僕は訊ねてみた。朝と夕方に誰が門まで新聞を取りにいくのか少し気になったからだ。

「郵便受けは裏門にあります」と運転手は言った。当然の話だ。もちろん裏門がある。

庭の検分が済むと僕は正面を向き、そこにそびえ建つ建物を見上げた。

それはなんというか、おそろしく孤独な建物だった。例えばここにひとつの概念がある。そしてそこにはもちろんちょっとした例外がある。しかし時が経つにつれてその例外がしみみたいに広がり、そしてついにはひとつの別の概念になってしまう。そしてそこにまたちょっとした例外が生まれる——ひとことで言ってしまえば、そんな感じの建物だった。行く先のわからないままやみくもに進化した古代生物のようにも見える。

まず最初は明治風の洋館造りであるらしかった。天井の高いクラシックな玄関と、それを包みこんだ二階建てのクリーム色の建物だ。窓は背の高い旧式のダブルハングで、ペンキは何度も塗りなおされていた。屋根はもちろん銅葺《どうぶ》きで、雨樋はローマの上水道のようにしっかりとしている。この建物はそれほど悪くなかった。たしかに古き良き時代の気品のようなものが感じられる。

しかしその母屋の右手にどこかの剽軽《ひょうきん》な建築家がそれにあわせるつもりで同傾向と同系色の別棟をくっつけていた。狙いは悪くないのだけれど、そのふたつの棟はまるで似合ってはいなかった。ちょうど銀の平皿にシャーベットとブロッコリをもりあわせたような感じだった。そのようにして何十年かが無為に流れ、そのわきに石造りの塔のようなものが加わった。そして塔のてっぺんには装飾的な避雷針がとりつけられた。それがまちがいのもとだった。おそらく雷に焼かれてしまうべきだったのだ。

塔からは荘重な屋根つきの渡り廊下が出ていて、それは一直線に別館へとつながっていた。この別館というのがまた奇妙な代物ではあったが、少くともそれには一貫したテーマが感じられた。「思想の相反性」とでもいうべきものである。一頭の驢馬《ろば》が左右に同量のかいばを置かれて、どちらから食べ始めればいいのかを決めかねたまま餓死しつつあるといった類《たぐ》いの哀しみがそこには漂っていた。

母屋の左手にはそれと対照的に平家の日本家屋が長く伸びていた。生垣があり、よく手入れされた松があり、品の良い廊下がボウリング・レーンみたいにまっすぐ続いている。とにかく、それだけの建物が予告編つきの三本立て映画みたいに丘の上に収まっている風景はちょっとした見ものだった。もしそれが誰かの酔いと眠気を吹きとばすために長い年月をかけて計画的に設計されたものであるとすれば、その目論見《もくろみ》は見事に成功したと言ってもいいだろう。しかしもちろん、そんなわけはない。様々な時代が生んだ様々な二流の才能が莫大な金と結びついた時に、このような風景ができあがるのだ。

僕はずいぶん長いあいだ庭と屋敷を眺めていたに違いない。気がついた時には運転手が僕のすぐわきに立って、腕時計を眺めていた。どことなく手馴れた動作だった。おそらく彼が運んできたどの客も僕と同じ場所に立ちすくんで、同じように呆然《ぼうぜん》とまわりの風景を眺めるのだろう。

「ごらんになるのでしたら、ごゆっくりどうぞ」と彼は言った。「まだ八分ばかり余裕がありますので」

「ずいぶん広いね」と僕は言った。それ以外にうまい表現が思い浮かばなかったのだ。

「三千二百五十坪あります」と運転手は言った。

「活火山でもあると似合いそうだね」と僕は冗談を言ってみた。しかしもちろん冗談は通じなかった。ここでは誰も冗談なんか言わないのだ。

そんな風に八分が過ぎ去った。

僕が通されたのは玄関のすぐ右手にある八畳ほどの洋間だった。天井はやけに高く、壁と天井の境いめには彫りものの入ったまわりぶちが入っていた。年代ものの落ちついたソファーとテーブルがあり、壁にはリアリズムの極致とでもいうべき静物画がかかっていた。りんごと花瓶とペーパー・ナイフ。花瓶でりんごを割ってからペーパー・ナイフで皮をむくのかもしれない。たねと芯は花瓶に入れておけばいい。窓に厚い布のカーテンとレースのカーテンが二重にかかっていて、どちらも揃いの紐で横にたくしあげてあった。カーテンのあいだから庭の比較的ましな部分が見えた。床はならのフローリングで、ほど良い色に光っていた。床の半分を占める絨毯はその古びた色あいにもかかわらず毛足は実にしっかりとしていた。

悪くない部屋だった。まったく悪くない。

和服を着た年配の女中が部屋に入ってきてテーブルの上にグレープ・ジュースのグラスをひとつ置き、何も言わずに出ていった。彼女の後ろでドアがかちゃりとしまった。そして何もかもがしいんとした。

テーブルの上には車の中で見たのと同じ銀製のライターとシガレット・ケースと灰皿が載っていた。そしてそのひとつひとつに前に見たのと同じ羊の紋章が刻みこんであった。僕はポケットから自分のフィルターつきの煙草を取り出し、銀のライターで火をつけ、高い天井にむけて煙を吐き出した。それからグレープ・ジュースを飲んだ。

十分後にもう一度ドアが開き、黒いスーツを着た背の高い男が入ってきた。男は「ようこそ」とも「お待たせしました」とも言わなかった。僕も何も言わなかった。男は黙って僕の向いに腰を下ろし、少し首をかしげて僕の顔を品定めするようにしばらく眺めた。たしかに相棒が言ったように、男には表情というものがなかった。

ひとしきり時間が過ぎた。

第五章　鼠からの手紙とその後日譚

I　鼠の最初の手紙

一九七七年十二月二十一日の消印

元気かい？

もうずいぶん長く君に会っていないような気がするな。いったい何年になるかな？

何年だろう？

年月の感覚がだんだん鈍くなってきている。なんだか平べったい黒い鳥が頭の上でばたばたやってるみたいで、三つ以上ものが数えられないんだ。悪いけど君の方で数えてみてほしい。

みんなに黙って街を出ちゃったことで、君も少なからず迷惑を受けたかもしれない。あるいは君にも黙って出ていっちゃったことで、不快に思ったかもしれない。僕は何度か君に弁明しようと考えたのだけれど、どうしてもできなかった。ずいぶん多くの手紙を書いては破った。でもこれは当然と言えば当然の話で、自分にもうまく説明できないことを、他人に向って説明することなんてできるわけはないんだ。

たぶんね。

僕は昔から手紙を書くのが上手《うま》くない。順序が逆になったり、正反対の言葉を間違えて使ってしまったりする。そして手紙を書くことでかえって自分を混乱させてしまったりする。それから僕にはユーモアの感覚が不足しているから、文章を書きながら、自分で自分にうんざりすることになる。

もっとも、手紙がうまく書ける人間なら手紙を書く必要もないはずだ。何故なら自分の文脈の中で十分生きていけるわけだからね。しかしこれはもちろん僕の個人的な意見にすぎない。文脈の中で生きていくことなんて不可能なのかもしれない。

今はひどく寒く、手がかじかんでいる。まるで僕の手じゃないみたいだ。僕の脳味噌も、僕の脳味噌じゃないみたいだ。今、雪が降っている。他人の脳味噌みたいな雪だ。そして他人の脳味噌みたいにどんどん積っていく。(意味のない文章だ)

寒いことをべつにすれば、僕は元気に暮している。君の方はどうだろう? 僕の住所は教えないけれど、気にしないでほしい。君に何かを隠したがっているというわけじゃないんだ。それだけはわかってほしい。これはつまり、僕にとってはとても微妙な問題なんだ。君に住所を教えたら、そのとたんに僕の中で、何かが変ってしまいそうな気がするんだ。うまく言えないけどね。

君は僕がうまく言えないことをいつもうまくわかってくれるような気がする。しかし君がうまくわかってくれればくれるほど、僕はどんどんうまくものが言えないようになっていくみたいだ。きっと生まれつきどこかに欠陥があるんだろう。

もちろん誰にだって欠陥はある。

しかし僕の最大の欠陥は僕の欠陥が年を追うごとにどんどん大きくなっていくことにある。つまり体の中でにわとりを飼っているようなもんだ。にわとりが卵を産み、その卵がまたにわとりになり、そのにわとりがまた卵を産むんだ。そんな風にして、そんな欠陥を抱えこんだまま、人間は生きていけるんだろうか？　もちろん生きていける。結局のところ、それが問題なんだね。

とにかく僕はやはり僕の住所を書かない。きっとその方が良いんだ。僕にとっても、君にとってもね。

おそらく我々は十九世紀のロシアにでも生まれるべきだったのかもしれない。僕がなんとか公爵で、君がなんとか伯爵で、二人で狩をしたり、決闘をしたり、恋のさやあてをしたり、形而上的な悩みを持ったり、黒海のほとりで夕焼けを見ながらビールを飲んだりするんだ。そして晩年には「なんとかの乱」に連座して二人でシベリアに流され、そこで死ぬんだ。こういうのって素敵だと思わないか？　僕だって十九世紀に生まれていたら、もっと立派な小説が書けたと思うんだ。ドストエフスキーとまではいかなくても、きっとそこそこの二流にはなれたよ。君はどうしていただろうね。君はずっとただのなんとか伯爵だったかもしれない。ただのなんとか伯爵というのも悪くないな。なんとなく十九世紀的だものな。

でもまあ、もう止そう。二十世紀に戻ろう。

街について話そう。

我々の生まれた街ではなく、べつのいろんな街だ。

世界には実に様々な街がある。それぞれの街にはそれぞれのわけのわからないものがあって、それが僕をひきつけるんだ。そんな風にして、僕はこの何年ものあいだにずいぶん多くの街を通り抜けてきた。

いきあたりばったりに駅を下りると小さなロータリーがあって、街の案内図があり、商店街がある。どこだってこれは同じだ。犬の顔つきまで同じだ。街をとりあえずぐるりと一周してから不動産屋に入って安い下宿を紹介してもらう。もちろん僕は他所者《よそ》だし、小さな街というのは排他的だからすぐには信用してはもらえないけれど、僕は君も知ってのとおりその気にさえなればなかなか人あたりの良い人間だし、十五分あれば大抵の人間とは仲良くなれる。これで居場所も決まるし、街についていろんな情報も手に入る。

それから次は職捜しだ。これもまたいろんな人と仲良くなるというところから始まる。君ならきっとうんざりするだろうけれど（僕だってそれなりにうんざりしてるんだぜ）、どうせ四ヵ月も住みやしないんだ。誰と仲良くなったって、どうってこともないさ。まず街の若い連中が集まる喫茶店かスナックをみつけて（どこの街にだってこういうのはある。街のへそみたいなもんだ）、そこの常連になり、知りあいを作って仕事を紹介してもらうんだ。もちろん名前も身の上話も適当にでっちあげる。そんなわけで、僕は今では君の想像もつかないくらいたくさんの名前と身の上を持っている。時々、本来の僕がどんな風だったかさえ忘れてしまいそうなほどだ。

仕事だって実にいろんな仕事をした。大抵は退屈な仕事だったけれど、それでも働くのは楽しい。いちばん多かったのはガソリン・スタンドだね。それからスナックのバーテン。本屋の店番もしたし、放送局で働いたこともある。土方もやった。化粧品のセールスもやった。セールスマンとしての僕の評判はかなりのものだった。それからいろんな女の子と寝た。違った名前と違った身の上で女の子と寝るというのもなかなか悪くない。

まあ、そんなくりかえしさ。

そして僕は二十九になった。あと九ヵ月で三十になろうとしている。

こういう生活が自分にぴったりしたものかどうかは、まだよくわからない。放浪的な性格というものが普遍的に存在するものかどうかもわからない。誰かが書いていたように、長い放浪生活に必要なものは三つの性向のうちのひとつであるのかもしれない。つまり宗教的な性向か、芸術的な性向か、精神的な性向かだ。そのどれかがなければ、長い放浪は存在しないということだ。でも僕がその三つのうちのどれかに適合するとは思えない。

(しいてどれかというと……いや、やめよう)

あるいは僕はまちがえたドアを開けたままひっこみがつかなくなってしまったのかもしれない。しかしどちらにしても、開けてしまったからにはうまくやるしかない。だっていつまでもつけでものを買いつづけるわけにはいかないからね。

ということさ。

最初にも言ったように(言ったっけ?)、君のことを考えると僕は少し危くなる。たぶん君が僕に僕が比較的まともだった時代のことを思い出させるからだろう。

（追伸）

僕の書いた小説を同封した。僕にとってはもう意味のないものだから適当に処分してくれ。

この手紙は十二月二十四日にそちらに着くように速達で出す。うまく着いてくれるといいけれどね。

とにかく誕生日おめでとう。

そして

ホワイト・クリスマス。

鼠の手紙は年もおしせまった十二月二十九日に僕のアパートの郵便受けにくしゃくしゃ

になってつっこまれていた。回送の貼り紙がふたつも付いていた。あて先が昔の住所になっていたためだ。なんにしてもこちらから知らせようがないのだから仕方ない。

僕は薄緑色のレター・ペーパー四枚にぎっしり書き込まれた手紙を三回読みかえしてから、封筒を手に取って半分ぼやけた消印を調べた。それは僕が名前を聞いたこともない街の消印だった。僕は本棚から地図帳をひっぱり出してその街の名を捜してみた。鼠の文章から本州の北端付近とあたりをつけたのだが、予想にたがわずそれは青森県にあった。青森から汽車に乗って一時間ばかりかかる小さな街だ。時刻表によればそこには一日に五本の列車が停まることになっていた。朝に二本、昼に一本、夕方に二本。十二月の青森なら僕も何度か訪れたことがある。そこはおそろしく寒い。信号機までが凍りついてしまう。

僕はそれからその手紙を妻に見せた。「可哀そうな人ね」とひとこと彼女は言った。「可哀そうな人たちね」と彼女はいうつもりだったのかもしれない。もちろん今となってはどうでもいいことだ。

原稿用紙二百枚ばかりの小説の方は題も見ずに机の引出しに放り込んだ。何故だかはわからないが読んでみたいとは思わなかった。僕にとっては手紙だけで十分だった。

そして僕はストーブの前の椅子に座って煙草を三本吸った。

鼠から次の手紙が来たのは翌年の五月だった。

2　二番めの鼠の手紙

消印は一九七八年五月?日

この前の手紙で僕は少ししゃべりすぎたんじゃないかと思っている。でも何をしゃべったのかはすっかり忘れてしまった。

僕はまた場所を移った。今度の場所はこれまでの場所とはまったく違う。今度のはとても静かな場所だ。僕には少し静かすぎるかもしれない。しかしここはある意味では僕にとってのひとつの終結点だ。僕は来るべくしてここに来たような気もするし、またあらゆる流れに逆らってここまで来たという気もする。僕にはそれについて判断を下すことができない。

これはひどい文章だ。あまりにも漠然としていて、たぶん君には何のことだかさっぱりわからないだろうな。あるいは君は僕が自分の運命に対して必要以上に意味を与えすぎていると思うかもしれない。もちろん君にそう思わせる責任は全て僕にある。しかし君にわかってほしいのは、僕が現在置かれている状況の中枢を君に説明しようとすればするほど、僕の文章はこんな風にバラバラになってしまうという事実だ。でも僕自身はまともだ。これまでにないくらいまともだ。

具体的な話をしよう。

このあたりはさっきも言ったようにおそろしく静かだ。他に何もすることがないから毎日本を読んで（ここには十年かけても読みきれないほどの本がある）、ＦＭラジオの音楽番組やらレコードやら（ここにはずいぶん多くのレコードもある）を聴いている。こんなにまとめて音楽を聴いたのは実に十年振りだな。ローリング・ストーンズやビーチ・ボーイズがいまだに活躍しつづけているなんて驚くほかはない。時間というのはどうしようもなくつながっているものなんだね。我々は自分のサイズにあわせて習慣的に時間を切り取ってしまうから、つい錯覚してしまいそうになるけれど、時間というのはたしかにつながっているんだ。

ここには自分のサイズというものがない。自分のサイズにあわせて他人のサイズを賞めたりけなしたりするような連中もいない。時間は透明な川のように、あるがままに流れている。ここにいると時々、自分の原形質までが解放されてしまったような気がするんだ。つまり僕はふと自動車に目をやるんだが、それが自動車であると認識するまでに数秒かかることがある。もちろんある種の本質的な認識はあるんだけれど、それが経験的な認識とうまく交わらないんだね。そういうことが最近すこしずつ多くなってきた。たぶん長いあいだ一人ぼっちで暮しているためだろう。

ここからいちばん近い町まで車で一時間半もかかる。いや、町というほどのものじゃないな。おそろしく小さな町の、そのまた残骸だ。君にはきっと想像もつかないだろう。しかしまあ、とにかく町だ。衣類や食料品やガソリンが買える。もし見たければ、人の顔も見ることができる。

冬のあいだは道が凍りついて、車は殆んど走れなくなる。道のまわりは湿地帯だから、地表そのものがシャーベットみたいに凍りついてしまうんだ。そしてその上に雪が降って、どこが道かさえわからなくなってしまう。この世の終りみたいな景色だよ。

僕は三月のはじめにここにやってきた。ジープの車輪にチェーンをまきつけて、そんな風景の中をやってきたんだ。まるでシベリア流刑みたいにさ。今は五月で、雪もすっかり溶けた。四月には山あいからずっと雪崩《なだれ》の音が聞こえてきた。君は雪崩の音を聞いたことがあるかい？　雪崩のやんだあとには、本当の完璧な沈黙がやってくるんだ。自分がいったいどこにいるのかわからなくなってしまいそうなほどの百パーセントの沈黙だ。とても静かだ。

山の中にずっと閉じ込められていたせいで、僕はかれこれもう三ヵ月も女の子と寝ていない。それはそれで悪くはないのだけれど、ずっとこんな風にしていると人間そのものに対する興味をなくしてしまいそうだし、それは僕の望むところではないんだ。だからもう少し暖かくなったら足をのばして、どこかで女の子をみつけようと思っている。自慢するわけじゃないけれど、僕にとって女の子をみつけるというのはそれほどむずかしい問題じゃない。僕はその気にさえなれば――なんだか僕は「その気にさえなれば」という世界で生きているみたいだけど――ちょっとしたセックス・アピールのようなものを発揮することができるんだ。だから比較的簡単に女の子を手に入れることができる。問題は僕自身がそういう能力にうまく馴染《なじ》めないことにあるとも言える。つまりある段階までいくとどこまでが僕自身で、どこからが僕のセックス・アピールなのかがわからなくなっちゃうんだ。どこからがローレンス・オリビエでどこからがオセロなのかがわからなくなってしまうのと同じさ。だから途中で回収しきれなくなって何もかもを放り出してしまうことになる。そしていろんな人間に迷惑をかけてしまう。僕のこれまでの人生というのはいわばそういったことの限りのないくりかえしだった。

ありがたいことに(実にありがたいことだ)、今の僕には放り出すべきものなんて何もない。この気分はとても素敵だ。放り出すべきものがあるとしたら、それは僕自身くらいのものだ。僕自身を放り出すという考えはなかなか悪くない。いや、こういう文章は少しパセティックにすぎるな。考え方としてはちっともパセティックじゃないんだけど、文章にしてしまうとパセティックになる。

困ったものだ。

いったい何を話していたんだっけ?

女の子のことだったな。

女の子一人一人には綺麗な引出しがついていて、その中にはあまり意味のないがらくたがいっぱいつまっている。僕はそういうのがとても好きだ。僕はそんながらくたのひとつひとつをひっぱりだしてほこりを払い、それなりの意味を探し出してやることができる。

セックス・アピールの本質とは要するにそういうことだと思う。でもそれでどうなるかというと、どうにもならない。あとは僕が僕であることをやめるしかない。だから僕は今、純粋にセックスのことだけを考えている。興味を純粋にセックスという一点にしぼれば、パセティックかどうかなんて考える必要もない。黒海のほとりでビールを飲むのと同じだ。

ここまでの文章を読み返してみた。幾分つじつまのあわないところもあるけれど、僕にしては正直に書けていると思う。何よりも退屈なところがいい。

それにこれはどう考えてみても君にあてた手紙ですらない。これはおそらく、郵便ポストにあてた手紙だ。しかしだからといって僕を批難しないでくれ。ここでは郵便ポストに辿り着くまでにジープで一時間半もかかるんだ。

ここからは本当に君にあてた手紙になる。

君に対する頼みがふたつある。どちらも急ぐという種類のものではないから、君の気が向いた時に片づけてくれればいい。君がそうしてくれると僕はとても助かる。これが三ヵ月前なら、たぶん僕は君に何ひとつ頼むことなんてできなかっただろうと思う。しかし今では君にものが頼める。それだけでもひとつの進歩だ。

ひとつめの頼みはどちらかというと感傷的なものだ。つまり「過去」に関するものだ。

僕は五年前に街を出る時、とても混乱して急いでいたので、何人かの人間にさよならを言い忘れた。具体的に言うと、君とジェイと、君の知らない一人の女の子だ。君にはもう一度会ってきちんとさよならを言えそうな気がするんだが、あとの二人に関してはもうその機会はないかもしれない。だからもし君が街に帰ることがあったら、僕からのさよならを伝えてほしいんだ。

もちろんこれがとても虫の良い頼みであることはよくわかっている。本当は僕が自分で手紙を書くべきなんだと思う。でも正直に言うと、僕は君に街に帰って、その二人に実際に会ってほしいんだ。その方が僕の気持は手紙を書くよりうまく伝わりそうな気がする。彼女の住所と電話番号はべつに書いておく。もし引越すなり結婚するなりしていたら、それはそれでいい。会わずに帰ってきてほしい。しかし今でも同じ住所に住んでいたら、彼女にあって僕からよろしくと伝えてほしい。

それからジェイにもよろしく。僕のぶんのビールを飲んでおいてくれ。

それがまずひとつ。

もうひとつはちょっと変った頼みだ。

一枚の写真を同封する。羊の写真だ。これをどこでもいいから人目につくところにもちだしてほしい。これもずいぶん勝手な頼みだとは思うけれど、君以外に頼む相手がいないんだ。僕のありったけのセックス・アピールを君に譲ってもいいから、僕のこの頼みだけは叶《かな》えてほしい。理由は言えないけれど。この写真は僕にとっては重要なものなんだ。いつか、もっと先に、説明できると思う。

小切手を同封しておく。いろんな費用に使ってくれ。金のことは何も心配しなくていい。ここにいると使いみちに困るくらいだし、それに今のところ僕にできることはそれくらいしかなさそうだからね。

くれぐれも僕のぶんのビールを飲むことを忘れないように。

☜

回送の付箋ののりを取ると、消印は読みとれなくなってしまった。封筒の中には十万円の銀行小切手と女の名前と住所を書いた紙とモノクロームの羊の写真が入っていた。

僕は家を出る時にその手紙を郵便受けから取り出し、会社の机の上でそれを読んだ。前回と同じ薄緑色のレター・ペーパーで、小切手の振り出しは札幌の銀行だった。とすれば鼠は北海道に渡ったのだろう。

雪崩に関する記述はもうひとつピンと来なかったが、鼠自身が書いているように全体としてはとても正直な手紙であるように思えた。それに誰も冗談で十万円の小切手を送ったりはしない。僕は机のひきだしを開けて、そこに封筒ごと全部を放り込んでおいた。

それは、妻との関係が崩れかけていたせいもあって、僕にとってはあまりぱっとしない春だった。彼女はもう四日も家に帰ってはいなかった。冷蔵庫の中では牛乳が嫌な匂いを放っていて、猫はいつも腹を減らしていた。洗面所の彼女の歯ブラシは化石みたいに乾いてひからびていた。そんな部屋にぼんやりとした春の光がふり注いでいた。太陽の光だけはいつも無料《ただ》だ。

ひきのばされた袋小路——たぶん彼女の言うとおりなのだろう。

3　歌は終りぬ

僕が街に戻ったのは六月だった。

僕は適当な理由をでっちあげて三日間の休暇を取り、一人で火曜日の朝の新幹線に乗った。白い半袖のスポーツ・シャツと膝が抜けかかったグリーンのコットン・パンツ、白いテニス・シューズ、荷物はなし、朝起きて髭《ひげ》を剃《そ》るのさえ忘れていた。久し振りにはいたテニス・シューズのかかとは信じられないくらいいびつな擦り減り方をしていた。きっと僕は自分でも知らないうちにとても不自然な歩き方をしていたのだろう。

荷物を持たずに長距離列車に乗るのは素敵な気分だった。まるでぼんやり散歩しているうちに時空の歪《ゆが》みにまきこまれてしまった雷撃機みたいな気分だ。そこにはまるで何もない。歯医者の診療予約もなければ、机のひきだしの中で解決を待ちつづけている問題もない。もうあとには戻れないほど入り組んでしまった人間関係もない。信頼感が強要するちょっとした好意もない。僕はそんなすべてを一時的な奈落の底に放り込んできたのだ。僕の持っているものはゴム底がいびつな形にゆがんだ古いテニス・シューズ、それだけだ。それはべつの時空についての漠然とした記憶のように僕の両足にしっかりとしがみついているが、それもたいした問題ではない。そんなものは何杯かの缶ビールとパサパサとしたハム・サンドウィッチが放り出してくれる。

街に帰るのは四年ぶりだった。四年前に帰ったのは僕の結婚に関するいわば事務的な手つづきのための帰郷だった。しかしそれは——僕が事務的な手つづきと考えていたことを、他の誰もがそうは見なさなかったということで——無意味な旅だった。要するに考え方の違いなのだ。ある人間にとって終ってしまったことが、他の人間にとってはまだ終っていない。それだけのことだ。それだけのことが線路の先の方にいくとずっと大きな違いを持つようになる。

それ以来、僕にはもう「街」はない。僕にとって帰るべき場所はどこにもない。そう考えると、僕は心の底からほっとした。もう誰も僕に会いたがってはいないのだ。もう誰も僕を求めてはいないし、誰も僕に求められることを望んではいない。

缶ビールを二本飲んでから三十分ばかり眠る。目覚めた時にはもうはじめの身軽な解放感はきれいさっぱり消え失せていた。列車が進むにつれ、空はぼんやりとした梅雨もどきの灰色に覆《おお》われていった。その下にはいつもと同じ退屈な風景が広がっていた。どれだけスピードをあげたところで、そんな退屈さから逃げ出すことなんてできない。逆にスピードをあげればあげるほど、我々は退屈のまっただなかに足を踏み入れていくことになる。退屈さというのはそういうものだ。

隣りに座った二十代半ばのサラリーマンは殆ど身動きひとつせずに経済新聞を読み耽《ふけ》っていた。しわひとつない紺のサマー・スーツと黒い靴。クリーニングから戻ったばかりの白いシャツ。僕は列車の天井を眺めながら煙草をふかした。そして暇つぶしに、ビートルズがレコーディングした曲のタイトルを片端から思い出していった。それは七十三でストップして、そのまま前には進まなかった。ポール・マッカートニーはいったい幾つまで覚えているんだろう?

僕はしばらく窓の外を眺めてから、また天井に目をやる。

僕は二十九歳で、そしてあと六ヵ月で僕の二十代は幕を閉じようとしていた。何もない、まるで何もない十年間だ。僕の手に入れたものの全ては無価値で、僕の成し遂げたものの全ては無意味だった。僕がそこから得たものは退屈さだけだった。

最初に何があったのか、今ではもう忘れてしまった。しかしそこにはたしか何かがあったのだ。僕の心を揺らせ、僕の心を通して他人の心を揺らせる何かがあったのだ。結局のところ全ては失われてしまった。失われるべくして失われたのだ。それ以外に、全てを手放す以外に、ぼくにどんなやりようがあっただろう？

少なくとも僕は生き残った。良いインディアンが、死んだインディアンだけだとしても、僕はやはり生き延びねばならなかったのだ。

何のために？

伝説を石の壁に向って語り伝えるために？

まさか。

「どうしてホテルなんかに泊まるんだい？」

僕が紙マッチの裏にホテルの電話番号を書いて渡すと、ジェイは不思議そうな顔でそう言った。「自分の家があるんだから、そこに泊まればいいのにさ」

「もう自分の家じゃないよ」と僕は言った。

ジェイはそれ以上は何も言わなかった。

僕は目の前につまみを三品並べ、ビールを半分飲んでから、鼠の手紙を取り出してジェイに渡した。ジェイはタオルで手を拭いて二通の手紙にさっと目を通し、それからもう一度ゆっくりと言葉を追って読んだ。

「ふうん」と彼は感心したように言った。

「ちゃんと生きてたんだね」

「生きてるさ」と僕は言ってビールを飲んだ。「ところで髭を剃りたいんだけれど剃刀《かみそり》とシェービング・クリームを貸してもらえないかな」

「いいとも」とジェイは言ってカウンターの下から携帯用のセットを出してくれた。「洗面所を使えばいいけど、お湯は出ないよ」

「水でいいさ」と僕は言った。「床に酔払った女の子が寝転んでなきゃいいけどね。髭が剃りにくいんだ」


ジェイズ・バーはすっかり変っていた。

昔のジェイズ・バーは国道わきの古ぼけたビルの地下にある小さな湿っぽい店だった。

夏の夜にはエアコンの風が細かい霧になるほどだった。長く飲んでいるとシャツまで湿った。

ジェイの本名は長たらしくて発音しにくい中国名だった。ジェイというのは彼が戦後米軍基地で働いている時にアメリカ兵たちがつけた名前だった。そしてそのうちに本名が忘れ去られてしまった。

僕が昔ジェイから聞きだした話によると彼は一九五四年に基地の仕事をやめてその近くに小さなバーを開いた。これが初代のジェイズ・バーである。バーは結構繁盛した。客の大半は空軍の将校クラスで、雰囲気も悪くなかった。店が落ちついた頃にジェイは結婚したが、五年後に相手は死んだ。死因についてはジェイは何も言わなかった。

一九六三年、ベトナムでの戦争が激しくなってきた頃にジェイはその店を売って、遠く離れた僕の「街」にやってきた。そして二代めのジェイズ・バーを開いた。

それが僕がジェイについて知っていることのすべてだった。彼は猫を飼っていて、一日に一箱煙草を吸い、酒は一滴も飲まない。

僕は鼠と知りあうまで、いつも一人でジェイズ・バーに通いつづけた。僕はちびちびとビールを飲み、煙草を吸い、ジュークボックスに小銭を入れてレコードを聴いた。その頃のジェイズ・バーは大抵すいていて、僕とジェイはカウンターごしにいろんな話をした。

どんな話をしたのかはまるで思い出せない。十七歳の無口な高校生と男やもめの中国人のあいだにいったいどんな話題があったのだろう？

僕が十八の歳に街を離れると鼠がそのあとを継いでビールを飲みつづけた。一九七三年に鼠が街を出てしまうと、そのあとを継ぐものは誰もいなかった。そしてその半年後には道路拡張のために店も移転することになった。そのようにして二代目のジェイズ・バーをめぐる我々の伝説は終った。

三代めの店は昔のビルから五百メートルほど離れた川のほとりにあった。さして大きくはないがエレベーターまでついた新しい四階建てのビルの三階である。エレベーターに乗ってジェイズ・バーに行くというのもどうも妙なものだ。カウンターの椅子から街の夜景が見渡せるというのも妙だった。

新しいジェイズ・バーの西側と南側には大きな窓があって、そこから山なみと、かつて海であった場所が見渡せた。海は何年か前にすっかり埋めたてられ、そのあとには墓石のような高層ビルがぎっしりと建ち並んでいた。僕はしばらく窓際に立って夜景を眺めてから、カウンターに戻った。

「昔なら海が見えたね」と僕は言った。

「そうだね」とジェイは言った。

「よくあそこで泳いだよ」

「うん」と言ってジェイは煙草をくわえ、重そうなライターで火をつけた。「気持はよくわかるよ。山を崩して家を建て、その土を海まで運んで埋めたて、そこにまた家を建てたんだ。そういうのを立派なことだと考えている連中がまだいるんだ」

僕は黙ってビールを飲んだ。天井のスピーカーからボズ・スキャッグズの新しいヒットソングが流れていた。ジュークボックスはどこかに消えていた。店の中の客は殆んどが大学生のカップルで、彼らはこざっぱりした服を着て水割りかカクテルを一口ずつ行儀良く飲んでいた。酔いつぶれそうな女の子もいなければ、ぴりっとした週末の喧騒《けんそう》もなかった。きっとみんな家に帰ったらパジャマに着替えて、きちんと歯を磨いて寝るのだろう。でもそれはそれで良いことだ。こざっぱりしているのはとても素敵だ。世界にもバーにも、ものごとのあるべき姿なんてそもそものはじめから存在しないのだ。

ジェイはそのあいだずっと僕の視線を追っていた。

「どうだい、店が変っちまって落ちつかないだろう？」

「そんなことはないよ」と僕は言った。「混沌がその形を変えただけのことさ。きりんと熊が帽子をかえっこして、熊としまうまがえりまきをかえっこしたんだ」

「あいかわらずだね」とジェイは言って笑った。

「時代が変ったんだよ」と僕は言った。「時代が変れば、いろんなことも変る。でも結局はそれでいいんだよ。みんな入れ替っていくんだ。文句は言えない」

ジェイは何も言わなかった。

僕は新しいビールを飲み、ジェイは新しい煙草を吸った。

「暮しむきはどうだい？」とジェイは訊ねた。

「悪くないよ」と僕は簡単に答えた。

「奥さんとはどう？」

「わからないな。人と人とのことだからね。うまくいきそうに思える時もあるし、そうじゃない時もある。夫婦って、そういうもんじゃないのかな？」

「どうかな」とジェイは言って、具合悪そうに小指の先で鼻をかいた。「結婚生活がどんなものかなんて忘れちゃったよ。ずいぶん昔のことだからさ」

「猫は元気？」

「四年前に死んだよ。あんたが結婚したちょっとあとかな。腸を悪くしてさ……、でも本当は寿命だったんだよ。なにしろ十二年も生きたんだものね。女房といたより長かったよ。十二年生きればちょっとしたもんだろう？」

「そうだね」

「山の上に動物用の霊園があってね、そこに埋めたよ。高層ビルが見下ろせる。もうこの土地じゃどこに行ったたって高層ビルしか見えないんだ。もっとも猫にとっちゃどうでもいいことだろうけれどね」

「淋しいだろう?」

「うん、そりゃ淋しいよ。どんな人間が死んだって、あれほど淋しくはないね。こういうのって変じゃないかな?」

僕は首を振った。

ジェイが別の客のためにこみいったカクテルとシーザース・サラダを作っているあいだ、僕はカウンターの上にあった北欧製のパズルで遊んでいた。三匹の蝶がクローバー畑の上を飛んでいる図形をガラス・ケースの中で組み立てるものだったが、十分ばかり試みてからあきらめて放り出した。

「子供は作らないの?」とジェイが戻ってきて訊ねた。「もうそろそろ作ってもいい年だろう?」

「欲しくないんだ」

「そう?」

「だって僕みたいな子供が産まれたら、きっとどうしていいかわかんないと思うよ」ジェイはおかしそうに笑って、僕のグラスにビールを注いだ。「あんたは先に先にと考えすぎるんだ」

「いや、そういう問題じゃないんだ。つまりね、生命を生み出すのが本当に正しいことなのかどうか、それがよくわからないってことさ。子供たちが成長し、世代が交代する。それでどうなる？ もっと山が切り崩されてもっと海が埋め立てられる。もっとスピードの出る車が発明されて、もっと多くの猫が轢《ひ》き殺される。それだけのことじゃないか」

「それは物事の暗い面だよ。良いことだって起きているし、良い人だっているさ」

「三つずつ例をあげてくれれば信じてもいいよ」と僕は言った。

ジェイはしばらく考えて、それから笑った。「でもそれを判断するのはあんたたちの子供の世代であって、あんたじゃない。あんたたちの世代は……」

「もう終ったんだね？」

「ある意味ではね」とジェイは言った。

「歌は終った。しかしメロディーはまだ鳴り響いている」

「あんたはいつも上手《うま》いことを言うね」

「気障《きざ》なんだ」と僕は言った。

ジェイズ・バーが混みだした頃に、僕はジェイにおやすみと言って店を出た。九時だった。冷たい水で髭を剃ったあとがまだちくちくとしていた。アフターシェーブ・ローションのかわりにウォツカ・ライムをつけたせいもある。ジェイに言わせれば同じようなものだったが、顔じゅうにウォツカの匂いがした。

夜は奇妙に暖かく、空はあいかわらずどんよりと曇っていた。湿った南の風がゆっくりと吹いていた。いつもと同じだ。海の匂いと雨の予感がいりまじっている。あたりはけだるいなつかしさに満ちていた。河川敷《かせんじき》のくさむらからは虫の声が鳴り響いていた。今にも雨が降り出しそうだった。降っているのかいないのかわからないくらいなのに、そのくせ体だけはぐっしょりと濡れてしまいそうな細かな雨だ。

ぼんやりとした水銀灯の白い光の中に川の流れが見えた。くるぶしまでしかない浅い流れだ。水は昔と同じように澄んでいた。山から直接流れ落ちてくるから汚れようもないのだ。川床は山から運ばれてくる小石やさらさらとした砂地で、ところどころに流砂どめの滝があった。滝の下には深いたまりがあって、そこには小さな魚が泳いでいた。

水の少ない時期には流れはそっくり砂地に吸い込まれ、あとには微《かす》かな湿り気を残した白い砂の道だけが残る。僕は散歩のついでにそんな道を上流まで辿《たど》り、川が川床に吸い込まれていくポイントを探したものだった。そこでは流れの最後の細い一筋がふと何かをみつけたといった感じで立ち止まり、そして次の瞬間にはもう消えていた。地底の闇が彼らをそっと呑み込んでいった。

川沿いの道は僕の好きな道だった。水の流れとともに僕は歩く。そして歩きながら、川の息づかいを感じる。彼らは生きているのだ。彼らこそが街を作ったのだ。何万年という歳月をかけて彼らは山を崩し、土を運び、海を埋め、そこに木々を繁らせたのだ。そもそもの最初から街は彼らのものだったし、おそらくこれから先もずっとそうなのだろう。

梅雨のおかげで、流れは川床に吸い込まれることもなく、ずっと海まで続いていた。川に沿って植えられた樹々の若い葉の匂いがした。その緑色があたりの空気の中にしっくりとにじみこんでいるようだった。芝生の上では何組かのカップルが肩を寄せあい、老人が犬を散歩させていた。高校生がバイクを停めて煙草を吸っていた。いつもどおりの初夏の夜だった。

僕は途中にあった酒屋で缶ビールを二本買って紙袋に入れてもらい、それを下げて海まで歩いた。川は小さな入江のような、あるいは半分埋められた運河のような海に注いでいた。それは幅五十メートルばかりに切り取られた昔の海岸線の名残りだった。砂浜は昔ながらの砂浜だった。小さな波があり、丸くなった木片が打ちあげられていた。海の匂いがした。コンクリートの防波堤には釘やスプレイ・ペンキで書かれた昔ながらの落書きが残されていた。五十メートルぶんだけ残されたなつかしい海岸線だった。しかしそれは高さ十メートルもある高いコンクリートの壁にしっかりとはさみ込まれていた。そして壁はその狭い海をはさんだまま何キロも彼方にまでまっすぐに伸びていた。そしてそこには高層住宅の群れが建ち並んでいた。海は五十メートルぶんだけを残して、完全に抹殺されていた。

僕は川を離れ、かつての海岸道路に沿って東に歩いた。不思議なことに古い防波堤はまだ残っていた。海を失った防波堤はなんだか奇妙な存在だった。僕は昔よく車を停めて海を眺めていたあたりで立ちどまり、防波堤に腰かけてビールを飲んだ。海のかわりに埋立地と高層アパートが眼前に広がっていた。のっぺりとしたアパートの群れは空中都市を作ろうとして、そのままあきらめて放置された不幸な橋げたのようにも見えたし、父親の帰りを待ちわびている未成熟な子供たちのようにも見えた。

それぞれの棟のあいだをぬうようにしてアスファルトの道路がはりめぐらされ、ところどころに巨大な駐車場があり、バス・ターミナルがあった。スーパー・マーケットがあり、ガソリン・スタンドがあり、広い公園があり、立派な集会場があった。何もかもが新しく、そして不自然だった。山から運ばれた土は埋立地特有の寒々しい色をして、まだ区画整理されていない部分は風に運ばれた雑草にぎっしりと覆われていた。驚くばかりの素速さで雑草は新しい大地に根づいていた。それはアスファルトの道路に沿って人為的に移植された樹々や芝生を小馬鹿にするように、いたるところにしのびこもうとしていた。

物哀しい風景だった。

しかし僕にいったい何を言うことができるだろう？　ここでは既に新しいルールの新しいゲームが始まっているのだ。誰にもそれを止めることなんてできない。

僕は二本の缶ビールを飲んでしまうと、空缶をひとつずつ、かつては海だった埋立地に向けて思い切り放った。空缶は風に揺れる雑草の海の中に吸い込まれていった。それから僕は煙草を吸った。

煙草を吸い終る頃に、懐中電灯を持った男がゆっくりとこちらに歩いて来るのが見えた。男は四十歳前後で、グレーのシャツとグレーのズボンをはいて、グレーの帽子をかぶっていた。きっと地域施設の警備員なのだろう。

「さっき何かを投げていたね」と男は僕の脇に立ってそう言った。

「投げたよ」と僕は言った。

「何を投げたんだ？」

「丸くて、金属でできていて、ふたのあるものだよ」と僕は言った。

警備員は少し面喰《めんくら》ったようだった。「何故投げたんだ？」

「理由なんてないよ。十二年前からずっと投げてる。半ダースまとめて投げたこともあるけど、誰も文句は言わなかった」

「昔は昔だよ」と警備員は言った。「今はここは市有地で、市有地へのゴミの無断投棄は禁じられてる」

僕はしばらく黙っていた。体の中で一瞬何かが震え、そして止んだ。

「問題は」と僕は言った。「あんたの言ってることの方が筋がとおってることなんだよな」

「法律でそう決まってんだ」と男は言った。

僕はため息をついて、ポケットから煙草の箱を取り出した。

「どうすればいい？」

「拾ってこいとも言えないだろう。あたりは暗いし、雨だって降りかけてる。だからもう二度とものを投げないでくれ」

「もう投げないよ」と僕は言った。「おやすみ」

「おやすみ」と言って警備員は去っていった。

僕は防波堤の上に寝転んで空を見上げた。警備員の言ったように、そろそろ細かい雨が降りかけていた。僕はもう一本煙草を吸ってさっきの警備員とのやりとりを思いかえしてみた。十年前には僕はもっとタフだったような気がした。いや、そんな気がするだけのことかもしれない。どちらでもいい。

川沿いの道に戻ってタクシーをつかまえた頃には霧のような雨になっていた。ホテルまで、と僕は言った。

「旅行ですか?」と初老の運転手が言った。

「うん」

「こちらは初めて?」

「二度め」と僕は言った。

4　彼女はソルティー・ドッグを飲みながら波の音について語る

「手紙を預かってきたんです」と僕は言った。

「私に？」と彼女は言った。

電話はいやに遠く、おまけに混線していたので、必要以上に大きな声でしゃべらねばならず、そのためにお互いのことばから微妙なニュアンスが失われていた。吹きさらしの丘の上でコートの襟《えり》を立てながら話しているような具合だった。

「本当は僕あての手紙なんだけど、なんだかあなたにあてたものじゃないかっていう気がしたんです」

「そんな気がしたのね」

「そうです」と僕は言った。言ってしまってから、自分がすごく馬鹿気たことをやっているような気になった。

しばらく彼女は黙っていた。そのあいだに混線が止んだ。

「あなたと鼠のあいだにどんな事情があるのか僕にはわからない。でも僕は彼にあなたに会ってほしいと頼まれたから、電話してるんです。それに手紙だってあなたに読んでもらった方が良いと思う」

「そのためにわざわざ東京からここまで来たの？」

「そういうことです」

彼女は咳払いしてから、ごめんなさいと言った。「友だちだから？」

「だと思います」

「どうして私に直接手紙を書かないのかしら？」

たしかに彼女の言うことの方が筋がとおっていた。

「わかりません」と僕は正直に言った。

「私にだってわからないわ。もういろんなことは終っちゃったんでしょ？　それともまだ終ってないの？」

僕にもそれはわからなかった。わからない、と僕は言った。僕はホテルのベッドに横になって受話器を持ったまま天井を眺めていた。海の底に寝転んで魚の影を数えているみたいな気分だった。いったい何匹数えれば数え終ったことになるのか見当もつかなかった。

「あの人がどこかに消えちゃったのが五年前、私はその時二十七だったわ」とても穏やかな声だったけれど、まるで井戸の底から響いてくるように聞こえた。「五年たてばいろんなことはすっかり変っちゃうのよ」

「ええ」と僕は言った。

「本当は何も変ってないとしても、そういう風には思えないのよ。思いたくないのね。そう思っちゃうと、もうどこにも行けないのよ。だから自分ではすっかり変っちゃったんだと思うようにしてるの」

「わかるような気はします」と僕は言った。

我々はそのまま少しのあいだ黙っていた。先に口を開いたのは彼女の方だった。

「最後に彼と会ったのはいつ?」

「五年前の春、彼が姿を消す少し前ですね」

「彼はあなたに何か言った?　つまり街を出る理由とか……」

「いいえ」と僕は言った。

「黙って消えちゃったのね?」

「そういうことです」

「その時、どんな気がした？」

「黙って消えちゃったことについてですか？」

「そう」

僕はベッドから起きあがり、壁にもたれかかった。「そうだな。きっと半年くらいで飽きて戻ってくるだろうって思ってましたね。何かを長く続けるタイプだとは思えなかったから」

「でも戻らなかった」

「そうですね」

彼女は電話の向うでしばらく迷っていた。耳もとで彼女の静かな息づかいがずっと続いていた。

「今どこに泊っているの？」と彼女が訊ねた。

「――ホテルです」

「明日の五時にホテルのコーヒー・ハウスに行くわ。八階のね。それでいい？」

「わかりました」と僕は言った。「僕は白いスポーツ・シャツにグリーンの綿のズボンをはいてます。髪は短かくて……」

「見当はつくからいいわ」と彼女はおだやかに僕の言葉を遮《さえぎ》った。そして電話は切れた。

僕は受話器を戻してから、見当がつくというのがいったいどういうことなのか考えてみた。わからなかった。僕にはわからないことがいっぱいある。きっと年を取ったから賢くなるというものでもないのだろう。性格は少し変るが凡庸《ぼんよう》さというものは永遠に変りはない、とあるロシアの作家が書いていた。ロシア人は時々とても気の利いたことを言う。冬のあいだに考えるのかもしれない。

僕はシャワーに入って雨に濡れた頭を洗いタオルを腰にまいたままテレビで古い潜水艦もののアメリカ映画を観た。艦長と副艦長がいがみあっているうえに潜水艦は老朽品で、おまけに誰かが閉所恐怖症という惨《みじ》めな筋だったが、結局最後には何もかもがうまくいった。こんな何もかもがうまくいくのなら戦争もそれほど悪くはない、といった感じの映画だった。そのうちに核戦争で人類は死滅したが、結局は何もかもがうまくいった、という映画ができるかもしれない。

僕はテレビのスイッチを切り、ベッドにもぐり込み、十秒後には眠っていた。

細かい雨は翌日の五時になってもまだ降りつづいていた。四、五日からりとした初夏の晴天がつづき、これでもう梅雨はあけたのかもしれないと人々が思いかけていた矢先の雨だった。八階の窓から眺めると、地表は隅々まで黒く濡《ぬ》れていた。高架になった高速道路では西から東に向う車が何キロも渋滞していた。じっと眺めていると、それらは雨の中で少しずつ溶けかけているように見えた。実際、街の中の何もかもが溶け始めていた。港の突堤が溶け、クレーンが溶け、建ち並んだビルが溶け、黒い雨傘の下で人々が溶けていった。山の緑も溶けながら音もなくふもとへ流れ落ちていった。しかし何秒か目を閉じて次に開いた時、街はまたもとどおりになっていた。六基のクレーンはうす暗い雨空にむけてそびえたち、車の列は思い出したように時折東へと流れ、傘の群れは舗道を横切り、山の緑は満足そうにたっぷりと六月の雨を吸い込んでいた。

広いラウンジのまんなかの一段低くなったところにマリン・ブルーに塗られたグラン

ド・ピアノがあって、派手なピンクのワンピースを着た女の子がアルペジオとシンコペーションで埋めつくされた典型的なホテルのコーヒー・ラウンジ型の演奏をしていた。悪くない演奏だったが、曲の最後の一音が空中に吸い込まれてしまうと、あとには何も残らなかった。

五時を過ぎても彼女は現われなかったので、僕はすることもないまま二杯めのコーヒーを飲みながら、ピアノを弾いている女の子をぼんやりと眺めていた。彼女は二十歳前後で、肩までの厚ぼったい髪をケーキにのせたホイップ・クリームみたいにきちんとセットしていた。リズムに合わせて髪は気持良さそうに左右に揺れ、曲が終るとまたまんなかに戻った。そして次の曲が始まる。

彼女の姿は僕が昔知っていたある女の子を思い出させた。僕が小学校三年で、まだピアノを習っていた頃の話だ。僕は彼女は年も技術のクラスも同じようなものだったので、何度か一緒に連弾をしたことがあった。彼女の名前も顔も、もうすっかり忘れてしまった。彼女について僕が覚えているものといえば、細くて白い指と綺麗な髪とふわふわとしたワンピースだけだった。それ以外には何ひとつ思い出せなかった。

そう思うとなんだか不思議な気がした。僕が彼女の指と髪とワンピースをはぎとってしまって、その残りだけが今もどこかで生きつづけているんじゃないかという気がした。しかしもちろん、そんなことはない。世界は僕とは無関係に動きつづけているのだ。人々は僕とは無関係に通りを横切り、鉛筆を削り、西から東に向けて一分間に五十メートルの速度で移動し、磨きぬかれたゼロの音楽をコーヒー・ラウンジにふりまいているのだ。世界——そのことばはいつも僕に象と亀が懸命に支えている巨大な円板を思い出させた。象は亀の役割を理解できず、亀は象の役割を理解できず、そしてそのどちらもが世界というものを理解できずにいるのだ。

「遅くなってごめんなさい」僕の後ろで女の声がした。「仕事が長びいちゃって、どうしても抜けられなかったの」

「構いませんよ。どうせ今日は一日何もすることがないんです」

彼女はテーブルの上に傘立ての鍵を置き、メニューを見ずにオレンジ・ジュースを注文した。

彼女の年は一目ではわからなかった。もし電話で年を聞いていなかったら、きっと永久にわからなかったと思う。

しかし彼女が三十三歳であるというのなら彼女は三十三歳であって、そう思ってみればたしかに三十三歳に見えた。もし仮りに彼女が二十七だと言っていたら、彼女は二十七歳に見えたに違いない。

彼女の服装の好みはあっさりとしていて気持が良かった。ゆったりとした白い綿のズボンをはき、オレンジと黄色のチェックのシャツの袖を肘《ひじ》まで折りかえし、皮のショルダー・バッグを肩からさげていた。どれも新しいものではなかったが、よく手入れされていた。指輪もネックレスもブレスレットもピアスも何もない。短い前髪をさりげなく横に流していた。

目のわきの小さなしわは年のせいというよりは生まれた時から既にそこについているように見える。ボタンを二つ外したシャツの襟からのぞいている細い白い首筋とテーブルに載せた手の甲だけが微妙に彼女の年齢を暗示していた。小さな、本当に小さなところから人は年を取っていくのだ。そして拭うことのできないしみのように、それは少しずつ全身を覆っていく。

「仕事って、どんな仕事なんですか？」と僕は訊ねてみた。

「設計事務所よ。もうずいぶん長いわ」

話はつづかなかった。僕はゆっくりと煙草を取り出して、ゆっくりとそれに火を点《つ》けた。女の子がピアノのふたを閉めて立ち上がり、休憩のためにどこかにひきあげていった。ほんの少しだけ彼女がうらやましかった。

「いつから彼と友だちなの？」と彼女が訊ねた。

「もう十一年ですね。あなたは？」

「二ヵ月と十日」と彼女は即座に答えた。「彼にはじめて会ってから、消えちゃうまでよ。二ヵ月と十日。日記をつけてるから覚えてるの」

オレンジ・ジュースが運ばれ、空になった僕のコーヒー・カップが下げられた。

「あの人が消えてから、三ヵ月待ったわ。十二月、一月、二月。いちばん寒い頃ね。あの年の冬って寒かったかしら？」

「覚えてませんね」と僕は言った。彼女が話すと五年前の冬の寒さが昨日の天気みたいに聞こえた。

「あなたはそんな風に女の子を待ったことある？」

「いいえ」と僕は言った。

「ある限られた時間に待つことを集中してしまうと、もうそのあとはどうでもよくなってしまうの。それが五年であろうと、十年であろうと、一ヵ月であろうとね。同じことなのよ」

僕は肯《うなず》いた。

彼女はオレンジ・ジュースを半分飲んだ。

「最初に結婚したときもそうだったわ。私はいつも待つ側で、そして待ちくたびれて、結局はどうでもよくなってしまうのよ。二十一で結婚して、二十二で離婚して、それからこの街に来たの」

「僕の家内と同じです」

「何が？」

「二十一で結婚して、二十二で離婚したんです」

彼女はしばらく僕の顔を見た。それからマドラーでオレンジ・ジュースをぐるぐるとかきまわした。余計なことを言ってしまったような気がした。

「若いうちに結婚してすぐに離婚するって結構つらいのよ」と彼女は言った。「簡単に言ってしまうと、とても平面的で非現実的なものを求めるようになるのね。でも非現実的なものって、そんなに長くはつづかない。そうじゃないかしら？」

「そうかもしれませんね」

「離婚してから彼に会うまでの五年間、私はこの街で一人きりで、まあわりに非現実的に暮していたの。知った人も殆んどいないし、たいして外に遊びに行きたくもないし、恋人もいないし、朝起きて会社に行って、図面を書いて、帰りにスーパー・マーケットで買物をして、家で一人で食事をするの。FM放送をつけっ放しにして、本を読んで、日記をつけて、風呂場でストッキングを洗うの。アパートは海岸にあるから、ずっと波の音が聞こえたわ。寒々しい生活だわね」

彼女はオレンジ・ジュースの残りを飲んだ。

「つまらない話をしているみたいね」

僕は黙って首を振った。

六時を過ぎて、ラウンジはカクテル・アワーに入り、天井の照明が暗くなった。街には灯がともりはじめていた。クレーンの先にも赤い灯がついた。淡い夕闇の中に細い針のような雨が降りつづいていた。

「お酒でも飲みませんか?」と僕は訊ねてみた。

「ウォツカをグレープ・フルーツで割ったのはなんだったかしら?」

「ソルティー・ドッグ」

僕はウェイターを呼んでソルティー・ドッグとカティー・サークのオン・ザ・ロックを注文した。

「どこまで話したかしら?」

「寒々しい生活、というところです」

「でも本当のことを言えば、それほど寒々しいというわけでもなかったのよ」と彼女は言った。「ただ波の音だけはね、少し寒々しかった。アパートの管理人は入る時に、すぐに慣れるって言ったけど、そうでもなかったわ」

「もう海はありませんよ」

彼女は穏やかに微笑《ほほえ》んだ。目の横のしわがほんの少し動いた。「そうね。あなたの言うとおりね。もう海はないわ。でも、今でも時々波の音が聞こえるような気がするの。きっと長いあいだに耳に焼きついちゃったのね」

「そしてそこに鼠が現われたんですね？」

「そうよ。でも私はそんな風には呼ばなかったけれど」

「なんて呼んだんですか？」

「名前で呼んだわ。誰だってそうするんじゃない？」

言われてみればそのとおりだ。鼠というのはあだ名にしても子供っぽすぎる。「そうですね」と僕は言った。

飲み物が運ばれた。彼女はソルティー・ドッグを一口飲んでから唇についた食塩を紙ナプキンで拭った。紙ナプキンにはほんの少し口紅がついた。口紅がついた紙ナプキンを彼女は二本の指で器用に折りたたんだ。

「彼はなんていうか……十分に非現実的だったわ。私の言ってることわかるでしょ？」

「わかると思います」

「私の非現実性を打ち破るためには、あの人の非現実性が必要なんだって気がしたのよ。はじめて会った時にね。だから好きになったの。それとも好きになってからそう思ったのかもしれないわ。どちらにしても同じことだけれど」

女の子が休憩から戻ってきて、古いスクリーン・ミュージックを弾きはじめた。間違ったシーンのための間違ったBGMみたいに聞こえた。

「時々こう思うの。結果的に私はあの人を利用していたんじゃないかってね。そして彼はそれをはじめからずっと感じとっていたんじゃないかしらってね。そう思う?」

「わからないな」と僕は言った。「それはあなたと彼とのあいだの問題だから」

彼女は何も言わなかった。

二十秒ばかりの沈黙のあとで、僕は彼女の話がもう終っていることに気づいた。僕はウィスキーの最後の一口を飲んでから、ポケットの中の鼠の手紙を取り出し、テーブルのまんなかに置いた。二通の手紙はしばらくそのままテーブルの上に載っていた。

「ここで読まなくちゃいけない?」

「家に持って帰って読んで下さい。読みたくなかったら捨てて下さい」

彼女は肯いてバッグに手紙をしまった。ぱちんという気持の良い金具の音がした。僕は二本目の煙草に火を点け、二杯めのウィスキーを注文した。二杯めのウィスキーというのが僕はいちばん好きだ。一杯めのウィスキーでほっとした気分になり、二杯めのウィスキーで頭がまともになる。三杯めから先は味なんてない。ただ胃の中に流し込んでいるというだけのことだ。

「これだけのために東京からわざわざ来たの？」と彼女が訊ねた。

「殆んどそうですね」

「親切なのね」

「そんな風に考えたことはないな。習慣的なものですよ。もし立場が逆だったとしても彼も同じことをすると思うしね」

「してもらったことはある？」

僕は首を振った。「でも我々は長いあいだいつも非現実的な迷惑をかけあってきたんですよ。それを現実的に処理するかどうかというのはまた別の問題です」

「そんな風に考える人っていないんじゃないかしら」

「そうかもしれませんね」

彼女はにっこり笑って立ちあがり、伝票を手に取った。「ここのお勘定は払わせて。四十分も遅れちゃったんだし」

「その方が良いんならそうして下さい」と僕は言った。「それからひとつ質問していいですか?」

「どうぞ、いいわよ」

「あなたは電話で僕の外見の見当がつくって言いましたね」

「ええ、私は雰囲気というつもりで言ったんだけど」

「それで、すぐにわかりました?」

「すぐにわかったわ」と彼女は言った。


雨はまったく同じ強さで降りつづいていた。ホテルの窓からは隣りのビルのネオン・サインが見えた。その緑の人工的な光の中を無数の雨の線が地表に向けて走っていた。窓際に立って下を見下ろすと、雨の線は地表の一点に向けて降り注いでいるように見えた。

僕はベッドに寝転んで煙草を二本吸ってから、フロントに電話をかけて翌朝の列車を予約してもらった。この街で僕がするべきことはもう何も残っていなかった。

雨だけが真夜中まで降りつづいていた。

第六章　羊をめぐる冒険II

1　奇妙な男の奇妙な話 (1)

黒服の秘書は椅子に腰を下ろすと、何も言わずに僕を眺めた。くわしく観察する視線でもなければ、なめまわすような視線でもなく、体を貫くような鋭い視線でもなかった。冷たくもなければ暖かくもなく、その中間ですらなかった。その視線には僕が知っているどのような種類の感情もこめられてはいなかった。男はただ僕を眺めているだけだった。僕の後の壁を眺めているのかもしれなかったが、その壁の前には僕がいたから、結局のところ男は僕を眺めていた。

男はテーブルの上のシガレット・ケースを手に取ってふたを開け、両切りの煙草を一本つまみ、先端を爪で何度かはじいて整えて、ライターで火をつけると、煙を斜め前方に吹いた。そしてライターをテーブルに戻して足を組んだ。そのあいだ視線はぴくりとも動かなかった。

男は相棒が説明してくれたとおりの男だった。服装はきちんとしすぎていて、顔は整いすぎていて、指はあまりにもすらりとしすぎていた。鋭い形に切り込んだ瞼《まぶた》とガラス細工みたいにひやりとした瞳がなければ、きっと完璧なホモ・セクシュアルに見えたに違いない。しかしその目のおかげで、男はホモ・セクシュアルにさえ見えなかった。まるで何にも見えなかった。誰にも似ていないし、何ひとつ連想させなかった。

瞳はよく見ると不思議な色をしていた。茶色がかった黒に、ほんの少しだけブルーが入って、右と左でその入り方の度合が違っていた。まるで右と左でべつのことを考えているような瞳だった。膝の上で微《かす》かに指が動きつづけているのが見えた。僕は今にも十本の指が彼の手を離れてこちらに歩みよってくるような幻覚に襲われた。奇妙な指だ。その奇妙な指がゆっくりとテーブルの上にのびて、三分の一ばかり減った煙草をもみ消した。グラスの中で氷が溶け、透明な氷がグレープ・ジュースに混っていくのが見えた。不均一な混り方だった。

部屋は一種不可解な沈黙に覆われていた。広い屋敷に入ると時折これに似た沈黙に出会うことがある。広さに比べてそこに含まれる人間の数が少なすぎることから生ずる沈黙だ。しかしこの部屋を支配している沈黙の質はそれともまた違っていた。沈黙はいやに重く、どことなく押しつけがましかった。僕は昔そのような沈黙をどこかで経験した覚えがあった。しかしそれが何であったのかを思い出すまでに少し時間がかかった。僕は古いアルバムのページを繰《く》るように記憶をたぐり、それを思い出した。不治の病人をとりまく沈黙だった。避けがたい死の予感をはらんだ沈黙だ。空気がどことなくほこりっぽく、意味ありげだった。

「みんな死ぬ」と男は僕を見据えたまま静かに言った。まるで僕の心の動きを完全に把握していたようなしゃべり方だった。「誰だっていつかは死ぬんだ」

それだけ言ってしまうと、男は再び重苦しい沈黙の中に沈み込んだ。蟬が鳴きつづけていた。彼らは終りかけた季節を呼び戻すために、死にものぐるいで羽をこすりあわせていた。

「私は君に対してできる限り正直に話そうと思う」と男が言った。どことなく公式文書を直訳したようなしゃべり方だった。語句の選び方と文法は正確だが、ことばに表情が欠けていた。

「しかし正直に話すことと真実を話すこととはまた別の問題だ。正直さと真実との関係は船のへさきと船尾の関係に似ている。まず最初に正直さが現われ、最後には真実が現われる。その時間的な差異は船の規模に正比例する。巨大な事物の真実は現われにくい。我々が生涯を終えた後になってやっと現われるということもある。だからもし私が君に真実を示さなかったとしても、それは私の責任でも君の責任でもない」

答えようもないので、僕は黙っていた。男は沈黙を確認してから話をつづけた。

「君にわざわざここまで来てもらったのは、その船を前に進めるためだ。私と君とで前に進めるんだ。我々は正直に語り合う。そして真実に一歩でも近づく」男はそこで咳払いをして、ソファーの手すりにのせた自分の手をちらりと見た。「しかしこういった言い方は抽象的にすぎる。だから現実的な問題から始めよう。君の作ったPR誌の問題だ。そのことはもう聞いたね？」

「聞きました」

男は肯《うなず》いた。そして少し間を置いてからしゃべりはじめた。

「それについてはおそらく君も驚いたことと思う。誰だって自分が苦労して作りあげたものを破棄されれば不愉快な気持になる。それが生活手段の一環であればなおさらだ。現実的な損失も大きい。そうだね」

「そのとおりです」と僕は言った。

「その現実的な損失という点についての君の説明が聞きたい」

「我々のような仕事には現実的な損失はつきものです。クライアントの気分ひとつで作ったものをつき返されるということもないわけじゃない。でも我々のような小さな規模の会社にとってはそれは命取りです。だからそれを避けるためにクライアントの意向には百パーセント従います。極端に言えば雑誌の一行ごとをクライアントと一緒になってチェックしていくわけです。そのようにして我々はリスクを回避します。楽しい仕事ではないけれど、我々は資力の乏しい一匹狼ですからね」

「みんなそこからのしあがっていくのさ」と男は慰めてくれた。「ま、それはそれとして、君の言っていることは私が君の雑誌を握りつぶしたことで君の会社はかなりの財政上のショックを受けたと解釈していいのかな？」

「まあそのとおりですね。既に印刷して製本してしまったものですから、用紙代と印刷代を一ヵ月以内に支払わなくちゃいけません。外注記事の原稿料もあります。金額的には五百万円程度のものですが、具合の悪いことにはそれを借金返済ぶんに見込んであります。我々は一年前に思い切った設備投資をしたんです」

「知ってるよ」と男は言った。

「それからクライアントとの今後の契約問題もあります。我々の立場は弱いし、クライアントは一度トラブルを起こした広告代理店は避けたがります。我々は生命保険会社と一年間のＰＲ誌発行契約を結んでいるわけですが、もし今回のトラブルでそれを廃棄されると、我々の会社は実質的に沈没します。我々の会社は小さいしコネクションもないけれど仕事の評判がよくて口コミで伸びてきた会社だからです。一度悪い評判が立つと、それでおしまいです」

男は僕がしゃべり終えても何も言わずにじっと僕の顔を見ていた。それから口を開いた。「君はとても正直にしゃべる。それにしゃべった内容も我々の調査と合っている。その点については評価するよ。そこでだ、もし私が生命保険会社に廃棄ぶんの雑誌に対する無条件の支払いと、今後の契約の続行を忠告したらどうなるだろうね」

「あとは何もありませんよ。なぜあんなことになったんだろうという素朴な疑問を残したまま退屈な日常に戻っていくだけです」

「その上にプレミアムをつけてもいい。私が名刺の裏に一言書くだけで、君の会社はあと十年ぶんくらいの仕事を取れるよ。けちなちらし仕事じゃなくてね」

「要するに取引ですね?」

「好意の交換だよ。私は君の共同経営者にPR誌が発行停止になったという情報を好意で提供したんだ。それに対して君が好意を示してくれれば、私もまた君に好意を示す。そう考えてもらえないかな。私の好意は役に立つよ。君だっていつまでも頭の鈍い酔払いと共同で仕事をつづけているわけにもいかないだろう」

「我々は友だちです」と僕は言った。

底なし井戸に小石を投げ込んだような沈黙がしばらく続いた。石が底につくまで三十秒かかった。

「まあいいだろう」と男は言った。「それは君の問題だ。私は君の経歴をかなり細かく調べてみたんだが、それなりになかなか面白かった。人間をおおまかに二つに分けると現実的に凡庸《ぼんよう》なグループと非現実的に凡庸なグループにわかれるが、君は明らかに後者に属する。これは覚えておくといいよ。君の辿《たど》る運命は非現実的な凡庸さが辿る運命でもある」

「覚えておきます」と僕は言った。

男は肯いた。僕は氷が溶けてしまったグレープ・ジュースを半分飲んだ。

「それでは具体的な話をしよう」と男は言った。「羊の話だ」

男は体を動かして封筒から大判のモノクローム写真を取り出し、テーブルの上に僕の方に向けて置いた。部屋の中にほんの少しだけ現実の空気が入り込んできたような気がした。

「これは君の雑誌に載った羊の写真だ」

ネガを使わずに雑誌のグラビアをそのまま引きのばしたにしては驚くほど鮮明な写真だった。おそらく特殊な技術を使っているのだろう。

「私の知る限りでは、その写真は君が個人的にどこかで手に入れて、その雑誌に使用した。間違いないね？」

「そのとおりです」

「我々の調査によれば、それはこの六ヵ月以内に、完全なアマチュアによって撮られた写真だ。カメラは安物のポケットサイズだ。撮ったのは君じゃない。君はニコンの一眼レフを持ってるし、もっとうまく撮る。この五年間は北海道に行ってない。そうだね？」

「どうでしょう？」と僕は言った。

「ふうん」と言って男はしばらく黙った。沈黙の質を見定めるような黙り方だった。「まあいい、我々が欲しいのは三つの情報なんだ。君がどこで、誰からこの写真を受け取ったか、そしていったいなんのつもりでこんな下手な写真を雑誌に使ったか、だ」

「言えません」と僕は自分でも驚くくらいあっさりと言った。「ジャーナリストにはニュース・ソースを守秘する権利があります」

男はじっと僕に目をやったまま、右手の中指の先で唇をなぞった。そして何度かそれをくりかえしてから、手を膝の上に戻した。沈黙はそのあともしばらく続いた。どこかで郭《かっ》公《こう》が鳴き始めてくれるといいのに、と僕は思った。しかしもちろん郭公は鳴き始めなかった。郭公は夕方には鳴かない。

「君はどうも奇妙な男だな」と男は言った。「私にはやろうと思えば、君たちの仕事を全部シャット・アウトすることもできるんだよ。そうすれば君はもうジャーナリストとも言えなくなる。もっとも今君がやっている下らないパンフレットやちらしやらの仕事がジャーナリズムであると仮定すればの話だけれどね」

僕はもう一度郭公のことを考えてみた。どうして郭公は夕方に鳴かないのだろう？

「それに、君のような人間をしゃべらせる方法は幾つかある」

「たぶんそうでしょう」と僕は言った。「しかしそれには時間がかかるし、それまでは僕はしゃべらない。しゃべったとしても全部はしゃべらない。あなたにはどれだけが全部なのかはわからない。違いますか？」

全てははったりだったが、コースは合っていた。それにつづく沈黙の不確かさは、僕がポイントを稼いだことを示していた。

「君と話すのは面白いよ」と男は言った。「君の非現実性はどことなくパセティックな趣きがある。まあ、いい。べつの話をしよう」

男はポケットから拡大鏡を出して、テーブルの上に載せた。

「それで写真を心ゆくまで調べてくれ」

僕は左手に写真を持ち、右手に拡大鏡を持ってゆっくりと写真を眺めた。何頭かはこちらを向き、何頭かはどこかべつの方角を向き、何頭かは無心に草を食べていた。雰囲気がもりあがらない同窓会のスナップ写真みたいな感じだった。僕は一頭ずつ羊を点検し、草の繁り具合を眺め、背後の白樺林を眺め、その後の山なみを眺め、ぽっかりと空に浮かんだ雲を眺めた。異常なところは何ひとつなかった。僕は写真と拡大鏡から目を上げて男を見た。

「何か変ったところに気づいたか？」と男はたずねた。

「何も」と僕は言った。

男はべつにがっかりした風でもなかった。

「たしか君は大学で生物学を専攻していたな」と男は訊ねた。「羊についてどの程度のことを知っている？」

「何も知らないのと同じですよ。僕がやったのは殆んど役に立たない専門的なことですからね」

「知っていることだけを話してくれ」

「偶蹄目《ぐうていもく》。草食、群居性。たしか明治初期に日本に輸入されたはずです。羊毛と食肉に利用されている。そんなところですね」

「そのとおりだ」と男は言った。「ただ細かいところを訂正すると、羊が日本に輸入されたのは明治初期ではなく、安政年間だ。しかしそれ以前には、君の言うように、日本には羊は存在しなかったんだ。平安時代に中国から渡来したという説もあるが、それが事実だとしてもその後その羊はどこかで絶滅してしまった。だから明治まで、殆《ほと》んどの日本人は羊という動物を見たこともなければ理解もできなかったということになる。十二支の中にも入っている比較的ポピュラーな動物であるにもかかわらず、羊がどんな動物であるかということは、正確には誰にもわからなかった。つまり、竜や貘《ばく》と同じ程度にイマジナティブな動物だったと言ってもいいだろう。事実、明治以前の日本人によって描かれた羊の絵は全て出鱈目《でたらめ》な代物だ。H・G・ウェルズが火星人に関して持っていた知識と同じ程度と言ってもいいだろう。

　そして今日でもなお、日本人の羊に対する意識はおそろしく低い。要するに、歴史的に見て羊という動物が生活のレベルで日本人に関わったことは一度もなかったんだ。羊は国家レベルで米国から日本に輸入され、育成され、そして見捨てられた。それが羊だ。戦後オーストラリア及びニュージーランドとのあいだで羊毛と羊肉が自由化されたことで、日本における羊育成のメリットは殆んどゼロになったんだ。可哀そうな動物だと思わないか？　まあいわば、日本の近代そのものだよ。

しかしもちろん、私は君に日本の近代の空虚性について語ろうとしているわけじゃない。私の言いたいのは、幕末以前には日本には羊はおそらく一頭も存在しなかったということと、それ以後輸入された羊は政府によって一頭一頭厳重にチェックされていたという二点にある。このふたつが意味するのは何だ？」

それは僕に対する質問だった。「日本に存在する羊の種が全て把握されているということですね」

「そのとおり。加えるに羊は競走馬と同じで種つけがポイントだから、日本にいる羊の殆んどは何代も以前にまで簡単にさかのぼることができる。つまり、徹底して管理された動物なんだ。異種交配についても、全てチェックすることができる。密輸入もない。わざわざ羊を密輸しようなどという物好きはいないからな。種で言うなら、サウスダウン、スパニッシュ・メリノー、コツウォルド、支那羊、シュロップシャー、コリデール、チェビオット、ロマノフスキー、オストフリージャン、ボーダーレスター、ロムニマーシュ、リンカーン、ドーセットホーン、サフォーク、だいたいこの程度のものだ。そこで」と男は言った。「もう一度よく写真を見てほしい」

僕はもう一度写真と拡大鏡を手に取った。

「そして前列の右から三頭めの羊をよく見てほしい」

僕は拡大鏡を前列の右から三頭めの羊にあわせた。それから隣りの羊を眺め、もう一度右から三頭目の羊を見た。

「今度は何かわかったかな?」と男が訊ねた。

「種類が違いますね」と僕は言った。

「そのとおりだ。その右から三頭めの羊をのぞけば、あとはみんな普通のサフォーク種だ。その一頭だけが違う。サフォークよりはずっとずんぐりしているし、毛の色も違う。顔も黒くない。なんというか、ずっと力強い感じがする。私はこの写真を何人かの緬羊《めんよう》の専門家に見せてみた。彼らの出した結論は、こんな羊は日本には存在しないということだった。そしておそらく世界にもな。だから、今君は存在しないはずの羊を見ているということになる」

僕は拡大鏡を持って、もう一度右から三頭めの羊を観察してみた。よく見ると背中のまんなかあたりに、コーヒーをこぼしたような淡い色あいのしみがあった。それはひどくぼんやりとしていて不鮮明で、フィルムの傷のようにも見えたし、目のちょっとした錯覚であるようにも思えた。あるいは実際に誰かがその羊の背中にコーヒーをこぼしたのかもしれなかった。

「背中に淡いしみが見えますね」

「しみじゃない」と男は言った。「星形の斑紋だよ。これと比べてみてくれ」

男は封筒から一枚のコピー・ペーパーを出して僕に直接手渡した。それは羊の絵のコピーだった。濃い鉛筆で描かれたらしく、余分の部分には黒い指のあとがついていた。全体としては稚拙《ちせつ》だが、何かしら訴えかけるところのある絵だった。細かい部分が異常なほどの丁寧《ていねい》さで描かれていた。僕は写真の羊とその絵の羊を交互に見比べてみた、明らかに同じ羊だった。絵の羊の背中には星形の斑紋があり、それは写真の羊のしみと呼応していた。

「それからこれだ」と男は言ってズボンのポケットからライターを出して僕に手渡した。ずっしりと重い銀製の特別誂《あつら》えのデュポンで、そこには車の中で見たのと同じ羊の紋が刻まれていた。羊の背中にはくっきりと星形の斑紋が入っていた。

僕の頭が少し痛みはじめた。

2　奇妙な男の奇妙な話 (2)

「私はさっき君に凡庸《ぼんよう》さについて語った」と男が言った。「しかしそれは君の凡庸さを批難するためのものではない。簡単に言えば世界自体が凡庸であるからこそ、君もまた凡庸なのだ。そうは思わないか?」

「わかりませんね」

「世界は凡庸だ。これは間違いない。それでは世界は原初から凡庸であったのか? 違う。世界の原初は混沌であって、混沌は凡庸ではない。凡庸化が始まったのは人類が生活と生産手段を分化させてからだ。そしてカール・マルクスはプロレタリアートを設定することによってその凡庸さを固定させた。だからこそスターリニズムはマルクシズムに直結するんだ。私はマルクスを肯定するよ。彼は原初の混沌を記憶している数少ない天才の一人だからね。私は同じ意味でドストエフスキーも肯定している。しかし私はマルクシズムを認めない。あれはあまりにも凡庸だ」

男は喉の奥で小さな音を立てた。

「私は今、非常に正直に語っている。それは君がさっき正直に語ってくれたことに対する私なりの返礼だ。そしてこれから私は君のいわゆる素朴な疑問に対して答えることにする。しかし私がそれを語り終えた時には、君に残された選択肢は極めて狭く限定されることになるだろう。それは了解しておいてほしい。簡単に言えば、君が賭け金をつりあげたんだ。いいね？」

「仕方ないでしょうね」と僕は言った。

「現在、この屋敷の中で一人の老人が死にかけている」と男は言った。「その原因ははっきりしている。脳の中に巨大な血のこぶがあるんだ。脳の形が歪《ゆが》んでしまうくらい大きな血のこぶだ。君は脳医学についてどの程度知っている?」

「ほぼ何も知りません」

「簡単に言うと血の爆弾だ。血行が阻害《そがい》されて異様に膨《ふく》らんでいる。ゴルフ・ボールを呑み込んだ蛇みたいにね。それが爆発すると、脳の機能は停止する。しかし手術するわけにもいかない。ちょっとした刺激で爆発してしまうからね。つまり現実的な言い方をすれば、死ぬのを待つだけだ。あと一週間で死ぬかも知れないし、一ヵ月かもしれない。それは誰にもわからない」

男は唇をすぼめてゆっくりと息を吐いた。

「死ぬことにたいして不思議はない。老人だし、病名もはっきりしている。不思議なのは何故これまで彼が生きてこられたかということなんだ」

男が何を言おうとしているのか、僕にはさっぱりわからなかった。

「本当は三十二年前に死んでいてもなんの不思議もなかったんだ」と男はつづけた。「あるいは四十二年前にね。その血瘤《けつりゅう》を最初に発見したのはA級戦犯の健康調査を行っていたあるアメリカ軍の医師で、それは一九四六年の秋だった。東京裁判の少し前だよ。血瘤を発見した医師はそのレントゲン写真を目にして強いショックを受けた。何故なら、それほど巨大な血瘤を脳に抱えて生きている——しかも常人以上に活動的に生きている——人間が存在することが医学的常識を遥《はる》かに越えていたからだ。そこで彼は巣鴨からその頃アーミー・ホスピタルとして接収されていた聖路加病院に移送され、詳しい診察を受けることになった。

診察は一年つづいたが、結局は何もわからなかった。いつ死んでもおかしくはないということと、生きていること自体が不思議だということの他にはね。しかし彼はその後もなんの不都合もなく、精力的に生きつづけた。頭脳の働きも極めて正常だった。理由はわからない。デッド・エンドさ。理論的には死んでいるはずの人間が生きて歩きまわっているんだからね。

もっとも幾つかの細かい症例は明らかになった。四十日周期で三日間、強い頭痛が生じる。この頭痛が始まったのは本人の証言によれば一九三六年で、それが血瘤の発生時期であると推察された。頭痛はあまりにもひどく、その期間には鎮痛用の薬剤が投与された。早い話が麻薬さ。しかし麻薬は確かに苦痛を緩和しはしたが、そのかわりに奇妙な幻覚をもたらした。強度に凝縮された幻覚だ。それがどんなものであるかは本人にしかわからないが、いずれにしてもあまり気持の良いものではなかったことはたしかなようだな。幻覚についての詳しい記録はアメリカ軍にそっくり残っている。医師が実に詳細にそれを記述していたんだ。私はそれを非合法的に入手して何度か読んだことがあるが、それは事務的な文章で表現されているにもかかわらず極めておぞましいものだった。あれを実際に幻覚として定期的に体験することに耐えられる人間は殆んどいないだろうね。

どうしてそのような幻覚が生じるのかもわからなかった。おそらく血瘤が周期的に放射するエネルギーのようなものがあって、頭痛はそれに対する肉体のリアクションではないかと推察された。そしてそのリアクションの壁が取り払われた時に、エネルギーが脳のある部分をダイレクトに刺激して、その結果幻覚を作り出すんじゃないかとね。もちろんこれは単なる仮説にすぎないわけだが、この仮説にはアメリカ軍部も興味を持った。そして徹底的な調査が始められた。情報部による極秘調査だよ。なぜ単なる一個人の血瘤の調査に米国情報部が乗り出すことになったのかは今でもよくわからないが、幾つかの可能性は想定できる。まず第一の可能性は医事調査に名前を借りたデリケートな種類の事情聴取ではないか、ということだ。つまり中国大陸における諜報ルートと阿片ルートの掌握だな。アメリカは蔣介石の長期的な敗退によって中国コネクションを失いつつあったからね。先生の持っていたルートを喉から手が出るほど欲しがっていたんだ。こういった訊問は公式にはできないからね。事実先生はこうした一連の調査のあとで、裁判にかけられることもなく釈放された。裏取引きがあったということは十分に考えられる。情報と自由の交換だね。

第二の可能性は右翼のトップとしての彼のエキセントリシティーと血瘤との相関関係の解明だ。これはあとで君にも説明するが、面白い着想だった。しかし結局のところは彼らにも何もわからなかったと思う。生きていること自体が不可解なのに、どうしてそんなことがわかる？　もちろん、解剖でもしてみなくちゃわかりはしない。それで、これもデッド・エンドさ。

第三の可能性は『洗脳』に関するものだ。脳に一定の刺激波を送ることによって特定のリアクションをひきだせるんじゃないかという発想だな。その当時はそういうことがはやってたんだ。事実アメリカには当時そういった洗脳研究グループが組織されていたことが明らかになっている。

情報部の調査がその三つのどれに主眼をおいていたかははっきりしていない。そしてまたそこからどのような結論がひきだされたかも不明だ。全ては歴史の中に葬り去られている。事実を知っているのは当時の米軍の上層部のひとにぎりと、それから先生だけだ。先生はそれについてはこれまで私を含めて誰にもしゃべられてはいないし、おそらくこの先もそうだろう。だから今私が君に話していることはただの推測にすぎない」

男はそこまでしゃべり終えると静かに咳払いをした。部屋に入ってどれくらいの時間が経過したのか、僕にはまるでわからなかった。

「しかし血瘤の発生時期、つまり一九三六年当時の状況については、もう少し詳しいことがわかっている。一九三二年の冬に先生は要人暗殺計画に連座されて刑務所に入られたんだ。その獄中生活は一九三六年の六月まで続いた。刑務所の公式の記録や医務記録も残っているし、また折に触れて我々に話されることもある。それらをかいつまんで言うとこういうことだ。先生は刑務所に入られてほどなく強度の不眠症にかかられた。それもただの不眠症じゃない。極めて危険な段階の不眠症だ。三日も四日も、時には一週間近く一睡もされなかったこともある。当時の警察は政治犯に対して眠らせないことで自白を強制したんだよ。とくに先生の場合は皇道派と統制派の抗争が絡んでいただけに訊問も厳しかった。相手が眠ろうとすると水をかける、竹刀《しない》で殴る、強い光線をあてる、そんな風にして囚人の睡眠をずたずたに分断してしまうんだ。それが何ヵ月も続くと大抵の人間は駄目になってしまう。眠るための神経が破壊されてしまうんだ。死ぬか、発狂するか、強度の不眠症にかかってしまうかだ。先生はその最後の道を歩まれたんだ。そして不眠症が完全に回復したのは一九三六年の春だった。つまり血瘤が発生したのと同じ時期だ。それについてどう思う？」

「極端な不眠が何らかの理由で脳の血行を阻害して血瘤を作り出した、ということですか？」

「それが最も常識的な仮説だ。素人にも考えつけるくらいだから、アメリカ軍の医師団も思いついただろう。しかしそれだけじゃ足りないんだ。あるひとつの重要なファクターがそこには欠けていると私は思う。血瘤現象はそのファクターの従属物ではなかったかと思うわけさ。だって血瘤を持った人間は何人もいるが、そのような症状はないからね。それにそれだけでは先生が生きつづけたことの理由が証明できない」

男の言うことはたしかに筋がとおっているように見えた。

「もうひとつ、血瘤に関して奇妙な事実がある。つまり一九三六年の春を境にして、先生はいわばべつの人間に生まれ変ったんだ。それまでの先生はひとことで言ってしまえば凡庸な行動右翼だった。北海道の貧農の三男坊に生まれて、十二の歳に家を出て朝鮮に渡り、それもうまくいかずに内地に戻って右翼団体に入った。血の気だけは多くていつも日本刀をふりまわして、といったタイプさ。たぶん字だってロクに読めなかったはずだ。しかし一九三六年の夏に刑務所を出ると同時に先生はあらゆる面で右翼のトップにおどり出たんだ。人心を掌握するカリスマ性、綿密な論理性、熱狂的な反応を呼びおこす演説能力、政治的な予知能力、決断力、そして何よりも大衆の持つ弱点をてこにして社会を動かしていける能力だ」

男は一息ついて軽い咳払いをした。

「もちろん右翼思想家としての彼の理論と世界認識は他愛のないものだった。しかしそんなのはたいしたことじゃない。問題はそれをどこまで組織化できるかだ。ちょうどヒトラーが生活圏と優性民族という他愛のない思想を国家レベルで組織化したようにね。しかし先生はそういった道を歩まれなかった。彼が歩んだのは裏の道——影の道だ。表面には出ずに、裏から社会を動かす存在だ。そのために彼は一九三七年に中国大陸に渡った。しかしまあ、それはいい。血瘤の話に戻ろう。私が言いたいのは、血瘤が生じた時期と彼が奇跡的な自己変革を遂げた時期が実に一致しているということだ」

「あなたの仮説によれば」と僕は言った。「血瘤と自己変革のあいだに因果関係はなく、位置的にはパラレルで、その上に謎のファクターがあるということですね」

「君は実にわかりがいい」と男は言った。「明確にして簡潔だ」

「それで羊がどこに絡むんですか?」

男はシガレット・ケースから二本目の煙草を取り、爪の先で先端を整えてから唇にはさんだ。火はつけなかった。「順番に話す」と男は言った。

重苦しい沈黙がしばらくつづいた。

「我々は王国を築いた」と男は言った。「強大な地下の王国だ。我々はあらゆるものをとりこんでいる。政界、財界、マス・コミュニケーション、官僚組織、文化、その他君には想像もつかないようなものまでとりこんでいる。我々に敵対するものまでとりこんでいる。権力から反権力に至る全てだ。それらの殆んどは自分がとりこまれていることにさえ気づいていない。要するにおそろしくソフィスティケートされた組織だ。そしてこの組織を先生は戦後一人で築きあげたんだ。つまり先生は国家という巨大な船の船底を一人で支配しているわけさ。彼が栓をぬけば、船は沈む。乗客はきっと何が起こったかわからないうちに海に放り出されるだろうね」

　そして彼は煙草に火を点けた。

「しかしこの組織には限界がある。つまり王様の死だ。王が死ねば、王国は崩壊する。何故ならその王国は一人の天才の資質によって築きあげられ、維持されてきたものだからだ。私の仮説によるなら、ある謎のファクターによって築きあげられ、維持されてきた、ということだ。先生が死ねば、全ては終る。なぜなら我々の組織は官僚組織ではなく、一個の頭脳を頂点とした完全機械だからだ。そこに我々の組織の意味があり、弱点がある。あるいは、あった。先生の死によって組織は遅かれ早かれ分裂し、火に包まれたヴァルハラ宮殿のような凡庸の海の中に没し去っていくだろう。誰にも先生のあとを継ぐことはできないんだ。組織は分割される――ちょうど広大な宮殿がとり壊されて、そのあとに公団住宅が建ち並ぶようにね。均質と確率の世界だ。そこには意志というものがない。あるいは君はそれが正しいことだと考えるかもしれない。分割がね。しかし考えてみてくれ。日本中がまったいらになって山も海も海岸も湖もなく、そこに均質な公団住宅をずらりと並べることが正しいことなのかな？」

「わかりませんね」と僕は言った。「そういった設問自体が適当なのかどうかがわからない」

「君は頭がいい」と男は言って膝の上で指を組んだ。そして指先でゆっくりとしたリズムを刻んだ。「公団住宅の話はもちろんたとえだ。もう少し正確に言えば、組織はふたつの部分に分かれている。前に進むための部分と、前に進ませるための部分だ。ほかにもいろんな機能を果す部分はあるが、大きく分ければこのふたつの部分によって我々の組織は成立している。その他の部分には殆んど何の意味もない。前に進む部分が『意志部分』で、前に進ませる部分が『収益部分』だ。人々が先生を問題にする時に取り上げるのはこの『収益部分』だけだ。そしてまた、先生の死後に人々が分割を求めて群がるのもこの『収益部分』だけだ。『意志部分』は誰も欲しがらない。誰にも理解できないからだ。これが私の言っている分割の意味だ。意志は分割され得ない。百パーセント引き継がれるか、百パーセント消滅するかだ」

男の指はあいかわらず膝の上でゆっくりとしたリズムを刻みつづけていた。それ以外は何もかもが最初と同じだった。捉えどころのない視線と冷やかな瞳、表情のない端整な顔。その顔は終始同じ角度で僕の方に向けられていた。

「『意志』とは何ですか？」と僕は訊ねてみた。

「空間を統御し、時間を統御し、可能性を統御する観念だ」

「わかりませんね」

「もちろん誰にもわかりはしない。先生だけが、いわば本能的にそれを理解されていた。極言するなら、自己認識の否定だ。そこにおいてはじめて完全な革命が実現する。君たちにわかりやすく言えば、労働が資本を包含し、資本が労働を包含する革命だ」

「幻想のように聞こえますね」

「逆だよ。認識こそが幻想なんだ」男は言葉を切った。

「もちろん、私が今しゃべっているのはただの言葉だ。言葉はどれだけ並べたところで、先生の抱いておられた意志の形を君に説明することなんてできない。私の説明は私とその意志のあいだのかかわりあいをまたべつな言語的なかかわりあいで示したものでしかない。認識の否定はまた、言語の否定にもかかわってくるんだ。個の認識と進化的連続性という西欧ヒューマニズムの二本の柱がその意味を失う時、言語もまたその意味を失う。存在は個としてあるのではなく、カオスとしてある。君という存在は独自的な存在ではなく、ただのカオスなのだ。私のカオスは君のカオスでもあり、君のカオスは私のカオスでもある。存在がコミュニケーションであり、コミュニケーションが存在なんだ」

突然部屋がおそろしく寒くなり、僕の傍《かたわ》らに暖かいベッドが用意されているような気がした。誰かが僕をベッドに誘っていた。しかしもちろんそれは錯覚だった。今は九月で、外はまだ無数の蟬が鳴きつづけていた。

「君たちが六〇年代の後半に行った、あるいは行おうとした意識の拡大化は、それが個に根ざしていたが故に完全な失敗に終った。つまり個の質量が変らないのに、意識だけを拡大していけばその究極にあるのは絶望でしかない。私の言う凡庸さというのは、そういう意味だ。しかしまあどれだけ説明しても君にはわからんだろう。それに私もべつに理解を求めているわけじゃない。ただ正直に話そうと努力しているだけさ」

「さっき君に渡した絵の説明をすると」と男は言った。「その絵はアメリカ陸軍病院の医務記録のコピーだ。日付は一九四六年の七月二十七日、となっている。その絵は医師の求めに応じて、先生が自らお描きになったものだ。幻覚を記述する作業の一環としてね。事実、この医務記録によれば、この羊は実に高い頻度で先生の幻覚の中に現われる。数字で言えば、約八十パーセント、つまり五回の幻覚のうち四回までに羊が登場していることになる。それも普通の羊ではなく、この背中に星を背負った栗色の羊だ。

それから、そのライターに刻まれた羊の紋章は先生が御自分の印として一九三六年以来一貫して使用されているものだ。君も気づいたと思うが、その紋章の羊は医務記録に残された羊の絵とまったく同じものだ。そしてそれはまた、君の今持っている写真の羊と同じでもある。なかなか興味深い事実だと思わないか？」

「単なる偶然でしょう」と僕は言った。なるべくあっさりと聞えるように言ったつもりだったが、あまりうまくはいかなかった。

「まだある」と男は続けた。「先生は羊に関する内外のあらゆる資料と情報を熱心に集めておられた。そして週に一度その週に日本国内において出版された全ての新聞・雑誌からピックアップされた羊に関する記事を長い時間をかけて御自分でチェックされていた。私はずっとそれをお手伝いしていたんだ。先生はとても熱心だったよ。まるで何かを捜しているようにね。先生が病の床に就かれてからは、私がごく個人的にその作業を引き継いだ。とても興味があったんだよ。いったい何が出てくるものかね。そこに君が出てきた。君と君の羊だ。これは、どう考えても、偶然じゃない」

僕は手の中でライターの重みをたしかめた。実に気持の良い重さだった。重すぎもしないし、軽すぎもしない。世の中にはこういう種類の重さがあるのだ。

「何故先生はそれほどまでに熱心に羊を探しておられたのかな？　君にはわかるか？」

「わかりませんね」と僕は言った。「先生に訊いてみた方が早いでしょう」

「訊ければ訊いてるよ。先生はこの二週間ばかり意識がないんだ。おそらく意識は二度と戻らないだろう。そして先生が亡くなれば、その背中に星の印がついた羊の秘密も永遠に闇の中に葬られてしまうんだ。それだけは、私にはどうしても我慢ができない。個人的な得失のためにではなく、もっと大きな大義のためにね」

僕はライターのふたをあけてやすりを擦って火を点け、それからふたを閉めた。

「君はたぶん私の言っていることを馬鹿馬鹿しいと思っているんだろう。あるいはそのとおりかもしれない。本当に馬鹿馬鹿しいのかもしれない。しかし君にわかってほしいのは我々に残されたものはそれしかないということなんだ。先生が死ぬ。ひとつの意志が死ぬ。そしてその意志の周辺にあるものも全て死に絶える。あとに残るのは数字で数えられるものだけだ。それ以外には何も残らない。だから私はその羊をみつけたいと思う」

彼ははじめて何秒か目を閉じ、そのあいだ沈黙した。「私の仮説を言おう。あくまで仮説だ。気に入らなければ忘れてくれればいい。私はその羊こそが先生の意志の原型を成していると思うんだ」

「動物クッキーみたいな話ですね」と僕は言った。男はそれを無視した。

「おそらく羊が先生の中に入りこんだんだ。それはたぶん一九三六年のことだろう。そしてそれ以来四十年以上、羊は先生の中に住みついていたんだ。そこにはきっと草原があって、白樺の林があったはずだ。ちょうどその写真のようなね。どう思う？」

「とても面白い仮説だと思います」と僕は言った。

「特殊な羊なんだ。とても・特殊な・羊なんだ。私はそれを探し出したいし、それには君の協力が要る」

「探し出してどうするんですか？」

「どうもしないさ。たぶん私にはどうにもできないだろう。私が何かをするにしては、それはあまりにも大きすぎるんだ。私の望みは失われてゆくものをこの目で見届けることだけだよ。そしてもしその羊が何かを望んでいるのだとしたら、私はそのために全力を尽したい。先生が亡くなってしまえば、私の人生にはもう殆んど意味なんてないからね」

そして彼は黙った。僕も黙っていた。蟬だけがまだ鳴いていた。庭の樹木が夕暮近くの風に葉をさらさらとすりあわせていた。家の中はあいかわらずしんとしていた。まるで防ぎようのない伝染病のように死の粒子が家じゅうに漂っていた。僕は先生の頭の中の草原を思い浮かべてみた。草は枯れ、羊の逃げ出したあとの茫漠とした草原。

「もう一度言うが、君が写真を手に入れたルートを教えてほしい」と男は言った。

「言えません」と僕は言った。

男はため息をついた。「私は君に正直に話したつもりだ。だから君も正直に話してほしい」

「僕は話せる立場にないんです。僕が話すと、僕に写真をくれた人物に迷惑が及ぶかもしれない」

「とすると」と男は言った。「羊に関連してその人物に何らかの迷惑が及ぶかもしれないと考えるだけの根拠が君にはあるわけだね」

「根拠なんてありませんよ。ただそんな気がするというだけのことです。何かがひっかかるんです。ずっとあなたの話を聞いてそう思ったんだ。何かがひっかかるってね。勘のようなものです」

「だから言えないんだな」

「そうですね」と僕は言ってから少し考えた。「僕は迷惑に関してはちょっとした権威なんです。他人に迷惑をかける方法なら誰にも負けないくらい知っている。だからなるべくそういったものを避けて暮してるんです。でも結局はそうすることで他人にもっと迷惑をかけてしまうことになる。どう転んでも同じなんですよ。しかし同じだとわかっていても、最初からそんな風にはできない。これはたてまえの問題です」

「私にはよくわからないな」

「凡庸というのはいろんな形をとって現われる、ということです」

僕は煙草をくわえて、手に持ったライターで火をつけ、煙を吸いこんだ。気分がほんの少しだけすっきりとした。

「言いたくないんなら、言わなくてもいい」と男は言った。「そのかわり君が羊を探し出すんだ。これが我々の最後の条件だ。今日から二ヵ月以内に君が羊を探し出せれば、我々は君が欲しいだけの報酬を出す。もし探し出せなければ、君の会社も君もおしまいだ。それでいいか？」

「仕方ないでしょう」と僕は言った。「しかしもし、全てが何かの間違いで背中に星の印のついた羊なんてそもそもいなかったとしたら？」

「結果は同じだよ。君にとっても私にとっても、羊をみつけるか、みつけないかのどちらかしかないんだ。まんなかはない。気の毒だとは思うけれど、とにかくさっきも言ったように君が賭け金をつりあげたんだ。ボールを持ったからにはゴールまで走るしかないさ。たとえゴールがなかったとしてもね」

「なるほど」と僕は言った。

男は上着のポケットから厚い封筒を出して僕の前に置いた。「それを費用として使っていい。足りなくなったら電話を入れてくれ。すぐに追加する。何か質問は？」

「質問はないけど、感想はあります」

「どんな？」

「全体的に信じられないくらい馬鹿げた話だけど、あなたの口から聞くとどことなく真実味がある。きっと僕が今日のことを話しても誰も僕を信じてはくれないと思う」

男はほんの少しだけ唇を曲げた。笑っているように見えなくもなかった。「明日からでも動くんだな。さっきも言ったように今日から、二ヵ月だ」

「むずかしい仕事ですよ。二ヵ月じゃきかないかもしれない。何しろ広大な土地から一頭の羊をみつけだすんだから」

男は何も言わずにじっと僕の顔を見た。彼にじっと見つめられると、どうも自分がからっぽのプールになったような気がした。汚れてひびわれて来年は使いものになるかどうかわからないようなからっぽのプールだ。男はたっぷり三十秒間まばたきひとつせずに僕の顔を見ていた。それからゆっくり口を開いた。

「もう行った方がいい」と男は言った。

たしかにそういう感じだった。

3　車とその運転手 (2)

「会社にお戻りになりますか？　それともどちらかに？」と運転手が僕に訊ねた。往きと同じ運転手だったが、往きよりはほんの少し愛想がよかった。きっと人に慣れやすい性格なのだろう。

僕はゆったりとしたシートの上で思いきり手足をのばしてから、どこに行けばいいのか考えてみた。会社に戻るつもりはない。相棒にあれこれと説明することを考えただけで頭が痛んだし——いったいどんな風に説明すればいいのだ？　——それにだいいち僕は休暇中の身なのだ。かといってまっすぐ家に帰る気にもなれなかった。なんとなく、家に帰る前にまともな人間が二本足でまともに歩いているまともな世界を見ておいた方が良いような気がした。

「新宿の西口に」と僕はいった。

夕方というせいもあって新宿に向う道路はひどく渋滞していた。あるポイントを越えると、車は錨を下ろしたみたいに殆んど動かなくなってしまった。ときどき波に揺られて車が何センチか移動するといった感じだ。僕はしばらく地球の自転速度について考えてみた。いったいこの道路の表面は時速何キロメートルで宇宙空間を回転しているのだろう？　僕は頭の中でざっと計算して概数を出してみたが、それが遊園地のコーヒー・カップより速いのかどうかはわからなかった。我々にはよくわからないことがいっぱいある。なんとなくわかっているような気がしているだけのことなのだ。もし宇宙人が僕のところにやってきて「ねえ君、赤道は時速何キロメートルで回転しているんだ？」と質問したとしたら、僕はとても困ってしまうことになる。たぶん僕は何故火曜日の次に水曜日が来るのかさえ説明できないだろう。彼らは僕を笑うだろうか？　僕は「カラマーゾフの兄弟」と「静かなドン」を三回ずつ読んだ。「ドイツ・イデオロギー」だって一回読んだ。円周率だって小数点以下十六桁まで言える。それでも彼らは僕を笑うだろうか？　たぶん笑うだろう。死ぬほど笑うだろう。

「音楽でもお聴きになりますか？」と運転手が訊ねた。

「いいね」と僕は言った。

そしてチャイコフスキーの「弦楽セレナーデ」が車内に流れ出した。結婚式場の控え室みたいな雰囲気になった。

「ねえ」と僕は運転手に訊ねてみた。「円周率は知ってる?」

「3・14っていうやつでしょう?」

「うん、でも、小数点以下何桁まで言える?」

「三十二桁までは知ってます」と運転手はこともなげに言った。「それ以上はちょっと」

「三十二桁?」

「ええ、ちょっとした覚えかたがあるんです。それが何か?」

「いや、いいんだ」と僕はがっかりして言った。「なんでもないんだ」

それから我々はしばらくチャイコフスキーを聴き、車は十メートルばかり前に進んだ。まわりの車のドライバーやバスの乗客は、我々の乗った化け物のような車をじろじろと眺めた。たとえ窓が特殊ガラスでできていて外からのぞきこめないようになっているとはわかっていても、他人にじろじろ眺められるのはやはり気持の良いものではない。

「ずいぶん混んでるね」と僕は言った。

「そうですね」と運転手は言った。「しかし明けない夜がないように、終らない交通渋滞もありません」

「そりゃそうだ」と僕は言った。「でも苛々したりすることはないの？」

「もちろんあります。苛立ったり、不快になったりすることもあります。とくに急いでいる時などはどうしてもそうなりますね。しかし全ては我々に課せられた試錬であると考えるようにしてるんです。つまり苛立つことは自らの敗北です」

「ずいぶん宗教的な交通渋滞の解釈みたいに聞こえるけれど」

「私はクリスチャンです。教会には通っていませんが、ずっとクリスチャンです」

「ふうん」と僕はうなった。「しかしクリスチャンであることと右翼の大物の運転手であることは矛盾しないのかな？」

「先生は立派な方です。私がこれまで会った中では神様について立派な方です」

「神様に会ったことがあるの」

「もちろんです。毎晩電話をかけています」

「しかし」と言ってから僕は少し迷った。頭がまた混乱しはじめていた。「しかし、みんなが神様に電話をかけたとしたら、回線が混みあっていつも話し中になるんじゃないかな？　たとえば昼すぎの電話番号調べみたいにさ」

「その心配はありません。神様はいわば同時的な存在なんです。だから一度に百万人の人間が電話をかけたとしても、神様は百万人の人間と同時にお話しになります」

「僕はよくわからないけれど、そういうのは正統的な解釈なのかな？　つまりなんというか、神学的に言ってさ」

「私はラディカルなんです。だから教会とうまがあわないんですね」

「へえ」と僕は言った。

車が五十メートルばかり前進した。僕は煙草をくわえて火を点けようとしてからはじめて、自分がずっとライターを握りしめていたことに気づいた。僕は男から手わたされた羊の紋章入りのデュポンを無意識にそのまま持ってきてしまったのだ。その銀のライターは生まれてからずっとそこにあったみたいに僕の手のひらにしっくりと馴染《なじ》んでいた。重さといい手ざわりといい申し分ない。僕は少し考えてから、結局それをもらっておくことにした。ライターのひとつやふたつなくなったって誰も困りはしないだろう。僕は二、三度ふたを開けたり閉めたりしてから煙草に火を点け、ライターをポケットに入れた。そしてかわりにビックの使い捨てたライターをドアのポケットに放り込んでおいた。

「何年か前に先生に教えていただいたんです」と突然運転手が言った。

「何を？」

「神様の電話番号です」

僕は聞こえないくらいのため息をついた。僕が狂っているのだろうか。それとも彼らが狂っているのだろうか？

「あなたにだけそっと教えてくれたの？」

「そうです。私にだけそっと教えて下さったんです。立派な方です。あなたも知りたいですか？」

「できれば」と僕は言った。

「じゃあ言います、東京・945の……」

「ちょっと待って」と僕は言って手帳とボールペンをひっぱり出してからその番号をメモした。

「しかし、僕になんか教えちゃっていいの？」

「いいんです。誰にでも教えているわけではないですけれど、あなたは良い人のようだから」

「それはどうも」と僕は言った。「しかしいったい神様と何を話せばいいのかな？　僕はクリスチャンじゃないし」

「それはたいした問題ではないと思います。あなたは自分の思っていること悩んでいることを正直にお話しになればいいんです。どんなつまらないことを話しても、神様は退屈したり馬鹿にしたりはなさいません」

「ありがとう。電話してみるよ」

「それがいいです」と運転手は言った。

車がスムーズに流れだし、行く手に新宿のビルが見え始めた。我々は新宿につくまで何もしゃべらなかった。

4　夏の終りと秋の始まり

車が目的地に着いた時、街はもう淡い藍色の夕闇に覆われていた。夏の終りを告げるすらりとした風がビルのあいだを滑り抜けて、通勤帰りの女の子たちのスカートを揺らせていた。彼女たちのサンダルのコツコツという音がタイル貼りの舗道に響いていた。

僕は高層ホテルの最上階に上って、広いバーに入り、ハイネケン・ビールを注文した。ビールが出てくるまでに十分かかった。僕はそのあいだ椅子の肘かけの上で頬杖をついて目を閉じていた。何も思いつかなかった。目を閉じていると、何百人もの小人がほうきで頭の中を掃いているような音がした。いつまでたっても彼らは掃きつづけていた。ちりとりを使うことを誰も思いつかないのだ。

ビールが運ばれてくると、僕はそれを二口で飲んだ。そして小皿についてきたピーナツも全部食べた。もうほうきの音は聞こえなかった。僕はレジのわきにある電話ボックスに入り、立派な耳のガール・フレンドに電話をかけてみた。彼女は彼女の部屋にも僕の部屋にもいなかった。ただどこかに食事に出ているのだろう。彼女は絶対に家の中では食事をしないのだ。

それから僕は別れた妻の新しいアパートの番号をまわしてみたが、ベルが二度鳴ったところで思いなおして受話器を置いた。考えてみればこれといって話もなかったし、無神経な人間だと思われたくなかったのだ。

それ以外に電話をかけるあてはなかった。一千万もの人間がうろつきまわっている街のまんなかで、電話をかけられる相手が二人しかいないのだ。おまけに一人は離婚した妻だ。僕はあきらめて十円硬貨をポケットに戻し、電話ボックスを出た。そして通りかかったウェイターにハイネケンを二本注文した。

このようにして一日が暮れていく。生まれてこのかたこれほど無意味な一日もなかったような気がした。夏の最後の一日にはもう少しそれなりの味があっていいはずだ。しかしその一日はひっぱりまわされて、こづきまわされているうちに暮れてしまった。窓の外には冷やかな初秋の闇が広がっていた。地上には黄色い小さな街の灯がどこまでも連なっている。上から眺めていると、それはたしかに踏みつぶされるのを待っているように見えた。

ビールがやってきた。僕は最初の一本をあけてから二皿のピーナツを全部手のひらに載せ、順番に食べていった。隣りのテーブルではプールの水泳教室帰りの中年女性が四人で何やかやとしゃべりながら色とりどりのトロピカル・カクテルを飲んでいた。ウェイターは直立不動の姿勢で首だけを曲げてあくびをしていた。もう一人のウェイターは中年のアメリカ人の夫婦にメニューの説明をしていた。僕はピーナツを全部食べ、三本めのビールを飲み干した。三本めのビールを飲んでしまうともうするべきことは何もなかった。

僕はリーヴァイスのヒップ・ポケットから封筒を取り出し、封を切って一万円札の束を一枚ずつ数えた。紙帯で巻かれた新札の束は札というよりはトランプのカードみたいに見えた。半分くらい数えたところで手がひりひりと痛んだ。九十六、というところで年配のウェイターがやってきて空瓶を下げ、もう一本お持ち致しますかと言った。僕は札束を数えながら黙って肯いた。彼は僕が札束を数えていることに対してはまったく無関心であるように見えた。

百五十枚を数え終えて封筒に戻し、それをヒップ・ポケットにつっこんだところに新しいビールがやってきた。僕はまたピーナツを一皿食べた。そして食べてしまってから、どうしてそんなに食べられるんだろうと考えてみた。答えはひとつしかなかった。腹が減っているのだ。考えてみれば朝からフルーツ・ケーキひとつしか食べていない。

僕はウェイターを呼んでメニューを見せてもらった。オムレツはなかったが、サンドウィッチはあった。チーズと胡瓜のサンドウィッチを注文した。添えものを訊くと、ポテト・チップとピクルスだった。ポテト・チップをやめてピクルスを二倍にしてもらった。ついでに爪切りはないだろうか、と訊ねてみた。もちろん爪切りはあった。ホテルのバーには実にいろんなものがある。僕は一度ホテルのバーで仏和辞典を借りたことがある。

ゆっくりビールを飲み、ゆっくり夜景を眺め、灰皿の上でゆっくりと爪を切り、もう一度夜景を眺め、爪にやすりをかけた。そのようにして夜は更けていった。僕は都会における時間のつぶし方にかけてはベテランの域に達しつつある。

天井に埋め込まれたスピーカーが僕の名前を呼んでいた。それははじめのうちは僕の名前に聞こえなかった。放送が終って何秒かたってから、僕の名前は少しずつ僕の名前固有の性格を身につけはじめ、やがて僕の頭の中で僕の名前は純粋な僕の名前になった。

僕が手をあげて合図をすると、ウェイターがトランシーバー型の受話器をテーブルまで持ってきてくれた。

「予定が少々変更された」と聞き覚えのある声が言った。「先生の具合が急に悪くなったんだ。もう余り時間がない。だから君のタイム・リミットも繰り上げられる」

「どれくらい」

「一ヵ月。それ以上は待てない。一ヵ月たっても羊がみつからなければ、君はおしまいだ。君が戻るべき場所はもうどこにもない」

一ヵ月、と僕は頭の中で考えてみた。しかし僕の頭の中では時間の観念がとりかえしのつかないくらい混乱していた。一ヵ月でも二ヵ月でもたいした違いがないように思えた。そもそも一頭の羊を探し出すのに一般的にどれくらいの時間がかかるかという規準がないのだから仕方ない。

「よくここの場所がわかりましたね」と僕は言ってみた。

「我々には大抵のことはわかる」と男は言った。

「羊の居場所以外はね」と僕は言った。

「そういうことだ」と男は言った。「とにかく、動け、君は時間を無駄に使いすぎる。自分の置かれた立場をよく考えてみた方がいい。そういう立場に君を追い込んだのは君自身でもあるんだからな」

たしかにそのとおりだった。僕は封筒の中の最初の一万円札を使って勘定を払い、エレベーターで地上に降りた。地上ではあいかわらずまともな人々が二本足でまともに歩いていたが、そんな光景を目にしてもとくにほっとした気分にはなれなかった。

5

$\frac{1}{5000}$

部屋に帰ると、郵便受けには夕刊と一緒に手紙が三通入っていた。一通は銀行からの残高通知で、一通はどう転んでも退屈そうなパーティーの招待状で、一通は中古車センターのダイレクト・メールだった。ひとつ上のクラスの車に買い換えると人生が幾分明るくなるといった意味の文章が書いてあった。余計なお世話だ。僕は三通の手紙をかさねてまんなかから破り、屑かごに捨てた。

冷蔵庫からジュースを出してグラスに注ぎ、台所のテーブルに座って飲んだ。テーブルの上にはガール・フレンドの残していった書き置きがあった。食事に出る・九時半までに戻る、と書いてあった。テーブルの上のデジタル時計は現在の時刻が九時半であることを示している。しばらく眺めているうちにその数字は31に変り、もう少しあとで32になった。

時計を眺めるのにも飽きると、僕は服を脱いでシャワーに入り、髪を洗った。浴室には四種類のシャンプーと三種類のリンスがあった。彼女がスーパー・マーケットに行くたびに何かしら新しい雑貨を買い込んでくるせいだ。風呂に入ると必ず何かが増えている。数えてみるとシェービング・クリームが四種類、歯みがきのチューブは五本もあった。順列組みあわせにすれば大変な数になる。浴室を出てジョギング用のショート・パンツとTシャツに着替えると、体にまとわりつくような不快感は消え、やっとすっきりした気分になった。

十時二十分にスーパー・マーケットの紙袋を下げて彼女が帰ってきた。彼女はいつも夜中にスーパー・マーケットに行く。紙袋の中には掃除用ブラシが三本とペーパー・クリップが一箱とよく冷えた缶ビールの六本パックが入っていた。僕はまたビールを飲むことになった。

「羊のことだったよ」と僕は言った。

「だからそう言ったじゃない」と彼女は言った。

冷蔵庫からソーセージの缶詰を出し、フライパンでいためて食べた。僕が三本食べ、彼女が二本食べた。台所の窓から涼しい夜の風が入ってきた。

僕は会社で起こった出来事を話し、車のことを話し、屋敷のことを話し、奇妙な秘書のことを話し、血瘤のことを話し、背中に星印のついたずんぐりした羊の話をした。ずいぶん長い話で、終った時には時計の針は十一時を指していた。

「ということなんだ」と僕は言った。

僕が話し終えても彼女はたいして驚いたようには見えなかった。話を聞きながらずっと耳の掃除をし、何度かあくびをした。

「それでいつ出発するの？」

「出発？」

「だって羊を捜しにいくんでしょ？」

僕は二本めの缶のプルリングに指をかけたまま顔をあげて彼女を見た。

「どこにも行きやしないよ」と僕は言った。

「でも行かないとまずいことになるんじゃないの？」

「べつにまずいことなんてないさ。どうせ会社は辞めるつもりだったし、誰に邪魔されたって食べていくくらいの仕事はみつけられるよ。まさか命までは取らないだろう」

彼女は新しい綿棒を箱からひっぱり出してしばらく指でいじりまわしていた。「でも簡単な話じゃない。要するに羊を一匹みつけ出せばいいんでしょ？　面白そうだわ」

「みつかりっこないさ。北海道は君が考えているよりずっと広いし、羊だって何十万頭もいるんだよ。そんな中からどうやって一頭の羊をみつけ出せばいい？　不可能だよ。たとえその羊の背中に星のマークがついているとしてもさ」

「五千頭よ」

「五千頭？」

「北海道にいる羊の数よ。昭和二十二年には二十七万頭もいたのが、今では五千頭しかいないの」

「どうしてそんなこと知ってるんだ？」

「あなたが出ていってから図書館に行って調べたのよ」

僕はため息をついた。「君にはなんでもわかっているんだな」

「そうでもないわ。わからないことの方がずっと多いもの」

「ふうん」と僕は言った。そして二本めの缶ビールを開け、彼女のグラスと僕のグラスに半分ずつ注いだ。

「とにかく北海道には今五千頭の羊しかいないのよ。政府の統計資料によればね。どう、これで少しは気が楽になった？」

「同じことさ」と僕は言った。「五千頭だろうが二十七万頭だろうがたいした違いなんてないよ。問題は広大な土地から羊を一頭みつけだすということにあるんだ。おまけに手がかりひとつないときている」

「手がかりはなくはないわよ。まず写真があるし、それからそのあなたの友だちがいるじゃない。どちらかのルートからきっと何かがつかめると思うわ」

「どちらもとても漠然とした手がかりだよ。写真の風景はありふれたものだし、鼠の方は手紙の消印さえわからないんだぜ」

彼女はビールを飲んだ。僕もビールを飲んだ。

「羊は嫌い？」と彼女が訊ねた。

「羊は好きだよ」と僕は言った。

頭がまた少し混乱した。

「でも行かないって、もう決めたんだよ」と僕は言った。自分に言いきかせるつもりで言ったのだが、あまりうまくいかなかった。

「コーヒーでも飲まない?」

「いいね」と僕は言った。

彼女はビールの空缶とグラスを下げ、やかんで湯を沸かした。湯が沸くまでのあいだ彼女は隣りの部屋でカセット・テープを聴いていた。ジョニー・リヴァーズが「ミッドナイト・スペシャル」と「ロール・オーヴァー・ベートーヴェン」を続けて唄っていた。それから「シークレット・エージェント・マン」になった。湯が沸くと彼女はコーヒーを淹《い》れながら、テープにあわせて「ジョニー・B・グッド」を唄った。そのあいだ僕はずっと夕刊を読んでいた。とても家庭的な風景だった。羊の問題さえなければ幸せな気分になれたはずだった。

テープが終るカシャッという音が聞こえるまで、我々は黙ってコーヒーを飲み、薄いビスケットを何枚かかじった。僕は夕刊を読みつづけた。読むところがなくなってしまうと同じところを二度読んだ。クーデターが起こったり映画俳優が死んだり曲芸をする猫がいたりしたが、どれも僕には関係のない事件ばかりだった。そのあいだずっとジョニー・リヴァーズは古いロックンロールを唄いつづけていた。テープが終ると僕は夕刊を畳み、彼女を見た。

「僕にはまだよくわからないよ。たしかに何もしないでいるよりは、たとえ無駄に終ったとしても羊を探しまわった方がいいような気はする。しかし一方では誰かに命令されたり脅迫されたり小突きまわされたりしたくなんかないとも思うんだ」

「でもみんな多かれ少なかれ命令されたり脅迫されたり小突きまわされたりしながら生きてるわ。そしてその上に探すべきものもないってことだってあり得るのよ」

「そうかもしれない」としばらくあとで僕は言った。

彼女は黙って耳の掃除をつづけていた。時折髪のあいだからふっくらとした耳たぶがのぞいた。

「今頃の北海道は素敵よ。観光客も少ないし、気候も良いし、羊だってみんな外に出てるわ。良いシーズンよ」

「だろうね」

「もし」と彼女は言ってビスケットの最後の一枚をかじった。「もしあなたが私を一緒につれていってくれたら、きっとあなたの役に立てると思うんだけど」

「どうしてそんなに羊探しにこだわるんだ？」

「私もその羊を見てみたいからよ」

「なんでもないただの羊で骨折り損ということになるかもしれないよ。それに君までごたごたに巻き込まれることになる」

「かまわないわ。あなたのごたごたは私のごたごたでもあるのよ」そして少し微笑《ほほえ》む。

「あなたのことはとても好きよ」

「ありがとう」と僕は言った。

「それだけ？」

僕は畳んだ夕刊をテーブルの端に押しやった。窓から入り込んでくるゆるい風が煙草の煙をどこかに運んでいった。

「正直に言うと、この話は何かしら気に入らないんだ。ひっかかるんだよ」

「どんなことが？」

「何から何までさ」と僕は言った。「全体としてはお話にならないくらい馬鹿げているくせに、細かいところが実にくっきりとしていて、おまけにちゃんとかみあってるんだ。良い感じがしないよ」

彼女は何も言わずに、テーブルの上の輪ゴムを指で転がして遊んでいた。

「それにだいたい羊をみつけだしてからどうなるんだ？　もしその羊が本当にあの男の言うような特殊な羊だったとしたら、それを見つけ出すことで、僕は今よりずっと深刻なトラブルにまきこまれるかもしれない」

「でもあなたのお友だちは既にその深刻なトラブルにまきこまれているんじゃないかし

ら？　だってそうじゃなければそんな写真をあなたにわざわざ送ってはこないでしょ」

彼女の言うとおりだった。僕は手持ちのカードを全部テーブルの上に並べ、それが全部相手のカードに負けたのだ。僕はみんなに手を読まれてしまっているようだった。

「どうも行くしかなさそうだな」と僕はあきらめて言った。

彼女は微笑んだ。「きっとあなたのためにもそれがいちばんいいのよ。羊はうまくみつかると思うわ」

彼女は耳の手入れを終え、綿棒の束をティッシュ・ペーパーにくるんで捨てた。そして輪ゴムを手に取り、髪を後ろで束ねて耳を出した。部屋の空気が入れかわったような気がした。

「寝ましょう」と彼女は言った。

6 日曜の午後のピクニック

目を覚ましたのは朝の九時だった。ベッドの隣りには彼女の姿はなかった。おそらく食事をとりに出て、そのまま自分の部屋に帰ったのかもしれない。書き置きはなかった。洗面所には彼女のハンカチと下着が干してあった。

僕は冷蔵庫からオレンジ・ジュースを出して飲み、三日前のパンをトースターに入れた。パンは壁土のような味がした。台所の窓からは隣りの家の庭のきょうちくとう、、、、、が見えた。誰かが遠くでピアノの練習をしていた。上りのエスカレーターを下に向って降りているような弾きかただった。まるまると太った鳩が三羽電柱にとまって意味もなく鳴き続けていた。いや、あるいは鳩は何かしらの意味をこめて鳴いているのかもしれない。足のまめが痛んで、それで鳴き続けているのかもしれない。鳩から見れば意味のないのは僕の方かもしれなかった。

二枚のトーストを喉の奥に詰め込んだ時には鳩の姿は消えていて、あとには電柱ときょ、、、うちくとうだけが残っていた。とにかく日曜の朝だ。新聞の日曜版には生け垣を跳び越えている馬の絵のカラー写真が載っていた。馬の上には黒い帽子を被った顔色の悪い騎手が乗っていて隣りのページの方をいやな目付でじっと睨《にら》んでいた。隣りのページには蘭の栽培法が延々と書いてあった。蘭には数百の種類があって、それぞれの蘭にはそれぞれの歴史があった。どこかの国の王侯は蘭のために命を落としたということだった。蘭にはどこかしら運命を思わせるところがある、と記事は語っていた。どんなものにも哲学があり、運命がある。

何はともあれ羊を探しに行く決心をしてしまったせいで、気分はすっかり良くなっていた。指の先にまで生気がいきわたっているように感じられた。二十歳という分水嶺を越えてこのかた、そんな気分になれたのは初めてのことだった。僕は食器を流しに放り込み、猫に朝食を与えてから黒服の男の電話番号をまわした。六回ベルが鳴ってから男が出た。

「起こしたんじゃなければいいけど」と僕は言った。

「心配してくれなくていい。朝はいつも早いんだ」と男は言った。「それで？」

「新聞は何を読んでいるんですか？」

「全国紙を全部と地方紙を八紙。地方紙は夕方にならないと来ないけれどね」

「それを全部読むわけですね？」

「仕事のうちだからね」と男は我慢強く言った。「それで？」

「日曜版も読むんですか？」

「日曜版もやはり読む」と男は言った。

「今朝の日曜版の馬の写真は見ました？」

「馬の写真は見たよ」と男は言った。

「馬と騎手がまったく別のことを考えてるみたいに見えませんか？」

受話器をとおして沈黙が新月のように部屋にしのびこんできた。息づかいひとつ聞こえなかった。耳が痛くなりそうな完全な沈黙だった。

「それが用件なのか？」と男が言った。

「いや、ただの世間話ですよ。共通の話題があってもいいでしょう」

「我々の共通の話題なら他にあるよ。たとえば羊の問題とかね」咳払い。「悪いけれど、私は君ほど暇なわけじゃないんだ、用件だけを手短かに話してもらえないかな？」

「問題はそこにあるんですよ」と僕は言った。「簡単に言ってしまえば、僕は明日羊を探しに行こうと思う。ずいぶん迷ったけれど、結局はそうすることにしたんです。しかしやるからには僕のペースでやりたい。しゃべる時だって好きなようにしゃべりたい。僕にも世間話をするくらいの権利はある。いちいち行動を見張られたくもないし、名前も知らない人間に小突きまわされたくはない。そういうことです」

「君は自分の置かれた立場を誤解している」

「あなたも僕の置かれた立場を誤解している。いいですか、僕は一晩よく考えてみたんですよ。それで気がついたんです。僕には失なって困るものが殆んどないことにね。女房とは別れたし、仕事も今日で辞めるつもりです。部屋は借りものだし、家財道具もロクなものはない。財産といえば貯金が二百万ばかりと中古車が一台、それに年取った雄猫が一匹いるだけです。洋服は全部流行遅れだし、持ってるレコードだってだいたいが骨董品みたいなもんです。名声もないし、社会的信用もないし、セックス・アピールもない。才能もないし、たいして若くもない。いつも何か下らないことを言って、あとで後悔してる。つまり、あなたの表現を借りれば凡庸な人間です。これ以上失うべき何があるんですか？あったら教えてほしいですね」

しばらく沈黙がつづいた。そのあいだに僕はシャツのボタンにからまった糸屑を取り、ボールペンでメモ用紙に星の絵を十三個描いた。

「誰にでも失いたくないもののひとつやふたつはあるんだ。君にもね」と男は言った。

「我々はそういったものを探し出すことにかけてはプロなんだ。人間には欲望とプライドの中間点のようなものが必ずある。全ての物体に重心があるようにね。我々はそれを探し出すことができる。今に君にもわかるよ。そしてそれを失ってから、はじめてそんなものが存在していたことに気づくのさ」短かい沈黙。「しかしまあ、それはもっとあとの段階に至って登場してくる問題だ。今の時点では君の演説の主旨はわからないでもない。君の要求は呑むことにするよ。余計な手だしはしない。君の好きなようにやればいい。一ヵ月間はね、それでいいかな？」

「いいです」と僕は言った。

「それでは」と男が言った。

そして電話が切れた。あと味の悪い電話の切れ方だった。僕はあと味の悪さを消すために腕立て伏せを三十回と腹筋を二十回やってから食器を洗い、三日ぶんの洗濯をした。それで気分はほぼもとどおりになった。気持の良い九月の日曜日だ。夏はもううまく思い出せなくなった古い記憶みたいにどこかに消え失せていた。

僕は新しいシャツを着て、ケチャップのしみがついていない方のリーヴァイスをはき、左右色のあった靴下をはき、髪をブラシで揃えた。それでも十七歳の時に感じた日曜日の朝の雰囲気は戻ってこなかった。あたり前の話だ。誰がなんと言おうと僕はちゃんと年をとってきたのだ。

それから僕はアパートの駐車場から廃車寸前のフォルクスワーゲンを出してスーパー・マーケットにでかけ、キャットフードの缶を一ダースと猫の便所用の砂と、旅行用の髭剃りセットと下着を買った。そしてドーナツ・ショップのカウンターに座ってほとんど味のないコーヒーを飲み、シナモン・ドーナツを一個かじった。カウンターの正面の壁は鏡になっていて、そこにドーナツをかじっている僕の顔が映っていた。僕は食べかけのドーナツを手に持ったまましばらく自分の顔を眺めた。そして他人はどんな風な思いで僕の顔を見るだろう、と考えてみた。しかしもちろん他人が何を思うかなんて僕にはわからない。僕は残りのドーナツを食べ、コーヒーを飲み干してから店を出た。

駅の前に旅行代理店があったので、そこで翌日の札幌行きの飛行機を二席予約した。それから駅ビルに入ってキャンバス地の肩にかける旅行かばんとレイン・ハットを買った。そのたびにポケットに入れた封筒からぱりぱりの一万円札をひっぱり出して勘定を払ったのだが、どれだけ使っても札束はさっぱり減ったようには見えなかった。僕自身が幾らか擦り減っただけだった。世の中にはそういったタイプの金が存在する。持っているだけで腹立たしく、使うと惨めな気分になり、使い切った時には自己嫌悪に陥る。自己嫌悪に陥ると金を使いたくなる。しかしもうそこには金はない。救いというものがないのだ。

僕は駅前のベンチに座って煙草を二本吸い、金について考えるのをやめた。日曜日の朝の駅前は家族連れと若いカップルでいっぱいだった。ぼんやりとそんな光景を見ていると、妻が別れ際に、子供を作るべきだったのかもしれないわね、と言っていたことをふと思い出した。たしかに僕はもう子供が何人かいてもおかしくない歳なのだ。しかし父親としての自分を想像してみるとどうしようもなく気が滅入《めい》った。僕が子供だとしたら、僕のような父親の息子になりたいとは思わないだろうという気がした。

僕は両手に買物の紙袋を抱えたままもう一本煙草を吸い、それから人混みを抜けてスーパーの駐車場に停めておいた車の後部シートに荷物を放り込んだ。そしてガソリン・スタンドで給油とオイル交換をやってもらっているあいだに近所の本屋に入って文庫本を三冊買った。そのようにしてあと二枚の一万円札が消え、ポケットの中はくしゃくしゃの釣り銭でいっぱいになった。アパートに帰ってから台所にあったガラスのボウルに釣り銭を全部放り込み、冷たい水で顔を洗った。朝起きてからずいぶん長い時間が過ぎてしまったような気がしたが、時計を見ると十二時にはまだ間があった。

ガール・フレンドが戻ってきたのは午後の三時だった。彼女は格子柄のシャツに芥子《からし》色の綿のズボンをはいて、見ているだけでこちらの頭が痛くなりそうなくらいの色の濃いサングラスをかけ、僕と同じような大きなキャンバス地のショルダー・バッグを肩から下げていた。

「旅行の用意をしてきたのよ」と彼女は言って手のひらでふくらんだバッグを叩いた。

「長旅になるんでしょ？」

「たぶんそうなるだろうね」

彼女はサングラスをかけたまま窓際の古いソファーに横になって、天井を眺めながらはっか煙草を吸った。僕は灰皿を持ってそのわきに座り、彼女の髪を撫でた。猫がやってきてソファーにとび乗り、彼女の足首に顎《あご》と前足をかけた。彼女は煙草を吸うのに飽きると残りを僕の唇のあいだにはさんであくびをした。

「旅行に行くのは嬉しい？」と僕は訊ねてみた。

「うん、とても嬉しいわ。とくにあなたと一緒に行けるのがね」

「でも、もし羊がみつからなかったら我々はもうどこにも帰る場所がないんだよ。一生旅行してまわるような羽目になるかもしれない」

「あなたのお友達のように？」

「そうだね。我々はある意味では似たもの同志なんだ。違うのは彼は自分の意志で逃げだし、僕ははじき出されたってことさ」

僕は煙草を灰皿につっこんで消した。猫が首を上げて大きなあくびをし、それからまたもとの姿勢に戻った。

「あなたの旅行の仕度は済んだの?」と彼女が訊ねた。

「いや、これからさ。でも荷物はそんなにないよ。着替えと洗面用具ぐらいだからね。君だってあんなに大荷物を抱えていく必要はないんだよ。必要なものは向うで買えばいいんだ。金は余ってる」

「好きなのよ」と言って、彼女はくすくす笑った。「大きな荷物を持ってないと旅行してるような気がしないんだもの」

「そんなものかな?」

開け放した窓から鋭い鳥の声が聞こえた。聞いたことのない鳴き声だった。新しい季節の新しい鳥だ。僕は窓から射し込んでくる午後の光を手のひらに受け、それを彼女の頬にそっと置いた。そんな姿勢のままずいぶん長い時間が過ぎた。僕は白い雲が窓の端から端まで移動するのをぼんやりと眺めていた。

「どうかしたの?」と彼女が訊ねた。

「変な言い方かもしれないけれど、今が今だとはどうしても思えないんだ。僕が僕だというのも、どうもしっくり来ない。それから、ここがここだというのもさ。いつもそうなんだ。ずっとあとになって、やっとそれが結びつくんだ。この十年間、ずっとそうだった」

「どうして十年なの？」

「きりがないからさ。それだけだよ」

彼女は笑って猫を抱きあげ、そっと床に下ろした。「抱いて」

我々はソファーの上で抱きあった。古道具屋で買い込んできた年代もののソファーは布地に顔を近づけると古い時代の匂いがした。彼女の柔かい体が、そんな匂いと溶けあっていた。それはぼんやりとした記憶のように優しく、暖かかった。僕は指で彼女の髪をそっと払い、耳に唇をつけた。世界が微かに震えた。小さな、本当に小さな世界だった。そこでは時間がおだやかな風のように流れていた。

僕は彼女のシャツのボタンを全部はずし、手のひらを乳房の下に置いてそのまま彼女の体を眺めた。

「まるで生きてるみたいでしょ」と彼女が言った。

「君のこと？」

「うん。私の体と、私自身よ」

「そうだね」と僕は言った。「たしかに生きてるみたいだ」

本当に静かだ、と僕は思う。あたりにはもう物音ひとつしない。我々以外の全ての人々は秋の最初の日曜日を祝うためにどこかにでかけてしまったのだ。

「ねえ、こういうのってとても好きよ」と小さな声で彼女が囁いた。

「うん」

「なんだか、まるでピクニックに来てるみたい。とても気持いいわ」

「ピクニック？」

「そうよ」

僕は両手を背中にまわして、彼女をしっかりと抱いた。そして唇で額の前髪を払い、もう一度耳に口づけをした。

「十年って長かった？」と彼女は僕の耳もとでそっと訊ねた。

「そうだね」と僕は言った。「とても長かったような気がするな。とても長くて、そして何ひとつ終ってない」

彼女はソファーの肘かけに載せた首をほんの少しだけ曲げて微笑《ほほえ》んだ。どこかで見たことのある笑い方だったが、それがどこでそして誰だったのかは思い出せなかった。服を脱いでしまった女の子たちにはおそろしいくらい共通した部分があって、それが僕をいつも混乱させてしまうのだ。

「羊を探しましょう」と彼女は目を閉じたまま言った。「羊を探しだせばいろんなことがうまくいくわ」

僕はしばらく彼女の顔を眺め、それからふたつの耳を眺めた。柔かな午後の光が、古い静物画のように彼女の体をそっと包んでいた。

7　限定された執拗な考え方について

六時になると彼女はきちんと服を着て、浴室の鏡で髪をとかし、体にスプレイ式のオーデコロンをかけ、歯を磨いた。そのあいだ僕はソファーに座って、「シャーロック・ホームズの事件簿」を読んでいた。その話は「私の友人ワトスンの考えは、せまい限定された範囲のものではあるが、きわめて執拗なところがある」という文章で始まっていた。なかなか素敵な出だしだった。

「今夜は遅くなるから、先に寝ていてね」と彼女は言った。

「仕事？」

「そう。本当はお休みのはずだったんだけど、仕方がないわね。明日からずっと休むことにしたから繰りあげになっちゃったの」

彼女が出ていってしまってから、しばらくすると一度ドアが開いた。

「ねえ、旅行のあいだ猫のことはどうするの？」と彼女が言った。

「そう言えばすっかり忘れてたな。でも、なんとか手配してみるよ」

そしてドアが閉まった。

僕は冷蔵庫からミルクとチーズ・スティックを出して猫に与えた。猫は食べにくそうにチーズを食べた。すっかり歯が弱っているのだ。

冷蔵庫の中には僕が食べられそうなものは何もなかったので、仕方なくテレビのニュースを見ながらビールを飲んだ。ニュースらしいニュースのない日曜日だった。こういう日の夕方のニュースには大抵動物園の風景が出てくる。キリンと象とパンダをひととおり見てしまうと僕はテレビのスイッチを切り、電話のダイヤルをまわした。

「猫のことなんです」と僕は男に言った。

「猫？」

「猫を飼ってるんですよ」

「それで?」

「誰かに預かってもらえないと旅行に出られない」

「ペット・ホテルならそのへんに幾らでもあるだろう」

「年取って弱ってるんですよ。一ヵ月も檻《おり》の中に入れておいたら死んでしまいますよ」

爪がコツコツと机を叩く音が聞こえた。「それで?」

「お宅で預かってほしいんですよ。お宅なら庭も広いし、猫一匹預かるくらいの余裕はあるでしょう?」

「無理だな。先生は猫が嫌いだし、庭で鳥寄せをしてるんだ。猫が来ると鳥が寄りつかなくなる」

「先生は意識がないし、それに鳥を獲《と》るほど気の利いた猫じゃないんです」

爪がまた何度か机を叩き、そして止んだ。「いいだろう。猫は明日の朝の十時に運転手に取りにやらせるよ」

「キャットフードと便所の砂はつけておきます。それからキャットフードはきまった銘柄のものしか食べませんから、なくなったら同じものを買って下さい」

「細かいことは運転手に直接言ってくれないかな。前にも言ったと思うけれど、私は暇じゃないんだ」

「窓口はひとつにしておきたいんですよ。責任の所在をはっきりさせるためにもね」

「責任?」

「つまり、僕のいないあいだに猫がいなくなったり死んだりしていたら、もし羊がみつかったとしてもあなたには何も教えないということです」

「ふうん」と男は言った。「まあ、よかろう。少々見当はずれではあるけれど、君はアマチュアにしてはなかなかよくやってるよ。メモを取るからゆっくりしゃべってくれ」

「肉の脂身はやらないで下さい。全部吐いてしまいますから。歯が悪いから固いものも駄目です。朝に牛乳を一本と缶詰のキャットフード、夕方には煮干しをひとつかみと肉かチーズ・スティックです。下痢はよくしますが、二日たってもなおらないようなら獣医のところで薬をもらって飲ませて下さい」

僕はそれだけ言ってしまうと、受話器の向うで男がボールペンを走らせる音に耳を澄ませた。

「それから?」と男が言った。

「耳だにがつきかけているから、一日に一度オリーブ・オイルをつけた綿棒で耳の掃除をして下さい。嫌がって暴れるけど、鼓膜を破らないようにね。それから家具に傷がつくのが心配なら週に一度は爪を切って下さい。普通の爪切りでかまいません。蚤はいないとは思うけれど、念のために時々蚤取りシャンプーで洗った方がいいでしょうね。シャンプーはペット・ショップに行けば売ってます。猫を洗ったあとはタオルでよく拭いてからブラッシングして、最後にドライヤーをかけて下さい。そうしないと風邪をひいてしまいますから」

さらさらさら。「他には？」

「そんなところです」

男はメモにとった事項を電話口で読みあげた。きちんとしたメモだった。

「これでいいね」

「結構です」

「それでは」と男は言った。そして電話が切れた。

あたりはもうすっかり暗くなっていた。僕はズボンのポケットに小銭と煙草とライターをつっこみ、テニス・シューズをはいて外に出た。そして近所の行きつけのスナックに入ってチキン・カツレツとロールパンを注文し、それができあがるまでブラザーズ・ジョンソンの新しいレコードを聴きながらまたビールを飲んだ。ブラザーズ・ジョンソンが終るとレコードはビル・ウィザーズに変り、僕はビル・ウィザーズを聴きながらチキン・カツレツを食べた。それからメイナード・ファーガソンの「スター・ウォーズ」を聴きながらコーヒーを飲んだ。あまり食事をしたような気になれなかった。

コーヒー・カップが下げられるとピンク電話に十円玉を三枚入れ、相棒の家の番号をまわした。電話には小学生の長男が出た。

「こんにちは」と僕は言った。

「こんばんは」と彼が訂正した。僕は腕時計を見た。彼の方が正しかった。

少しあとで相棒が出た。

「どんな具合だった？」と彼が訊ねた。

「今話してもいいかな？　食事中か何かじゃないのかい？」

「食事中だけどべつにいいよ。どうせたいした食事でもないし、そっちの話の方が面白そうだ」

僕は黒服の男との会話をかいつまんでしゃべった。大きな自動車とか広い屋敷とか死にかけた老人とか、そんな話だ。羊については触れなかった。信じてもらえるとは思えなかったし、話としても長すぎたからだ。おかげで当然のことながら僕の話はわけのわからないものになってしまった。

「さっぱりわけがわからないな」と相棒は言った。

「しゃべっちゃいけないことになってるんだよ。しゃべると君に迷惑がかかることになるんだ。つまり君には家庭もあるし……」僕はしゃべりながらローンが終っていない彼の4LDKの高級マンションと彼の低血圧の妻と彼のこましゃくれた二人の息子のことを思い浮かべた。「つまり、そういうことだよ」

「なるほど」

「とにかく明日から旅行に出なくちゃいけないんだ。長い旅行になると思うんだよ。一ヵ月か二ヵ月か三ヵ月か、はっきりしたことは僕にもよくわからない。あるいはもう東京には戻らないかもしれない」

「ふうん」

「それで会社のことは君に引き受けてほしいんだよ。僕は手を引く。君に迷惑はかけたくないしね。仕事はまあ一応の切りがついているし、共同経営とはいっても重要な部分は君が押えてくれて、僕は半分遊んでいたようなものだしね」

「でも君がいないと現場の細かいことはわからないぜ」

「戦線を縮小しろよ。つまり昔に戻るのさ。広告とか編集の仕事は全部キャンセルしてね、昔ながらの翻訳事務所に帰るんだよ。君がこのあいだ言ってたみたいにね。女の子を一人だけ残してあとのアルバイトの連中にはやめてもらうんだな。もうそんなものいらないんだしね。二ヵ月ぶんの給料を退職金として出せばたぶん誰も文句は言わないよ。事務所だってもっと小さいところに移ればいい。収入は減るだろうけど支出も減るし、僕のいないぶんだけ君の取りぶんは増えるから君にとってはたいしたかわりはないさ。税金やら君のいうところの搾取やらの心配もずっと少なくなる。君向きだよ」

相棒はしばらく黙って考えていた。

「駄目だよ」と彼は言った。「きっとうまくいかない」

僕は煙草を口にくわえてライターを捜した。捜しているあいだにウェイトレスがマッチを擦って火を点けてくれた。

「大丈夫だよ。ずっと一緒にやってきた僕が言うんだから間違いないよ」

「君と二人だからやれたんだ」と彼は言った。「これまで一人で何かをやろうとして、うまくいったためしがないんだよ」

「ねえ、いいか。仕事を広げろって言ってるわけじゃないんだぜ。縮小しろっていってるんだ。昔やってた産業革命以前の翻訳手仕事だよ。君が一人と女の子が一人、外注で下訳のアルバイトを五、六人とプロを二人。できないわけがないだろう」

「君は俺のことをよくわかっていないんだよ」

十円玉がかたんという音を立てて落ちた。僕はあと三枚の硬貨を入れた。

「俺は君とは違うんだ」と彼は言った。「君は一人でやっていける。でも俺はそうじゃないんだよ。誰かにぐちを言ったり、相談したりしていないと前に進めないんだ」

僕は受話器を押えてため息をついた。堂々めぐりだ。黒山羊《やぎ》が白山羊の手紙を食べて、白山羊が黒山羊の手紙を食べて……

「もしもし」と彼は言った。

「聞いてるよ」と僕は言った。

電話の向こうで二人の子供がテレビのチャンネルをめぐって言い争っている声が聞こえた。

「子供のことを考えろよ」と僕は言ってみた。フェアな展開ではないが、それ以外に手はなかった。「弱音を吐いてなんていられないだろう。君が駄目だと思ったら、それでもうみんなおしまいなんだぜ。世界に対して文句があるんなら子供なんて作るな。きちんと仕事をして、酒なんか飲むな」

彼は長いあいだ黙っていた。ウェイトレスが灰皿を持ってきてくれた。僕は手まねでビールを注文した。

「たしかに君の言うとおりだよ」と彼は言った。「なんとかやってみるよ。うまくいくかどうかは自信がないけれどね」

「うまくいくさ。六年前だって、金もなしコネもなしで、あれだけやれたんじゃないか」

僕はグラスにビールをついで一口飲んでからそう言った。

「君は俺が君と一緒にいることでどれくらい安心していたかを知らないんだ」と相棒は言った。

「そのうちにまた電話するよ」

「うん」

「長いあいだどうもありがとう。楽しかったよ」と僕は言った。

「もし用事が終って東京に帰ってきたら、また一緒に組んで仕事をしよう」

「そうだな」

そして僕は電話を切った。

しかし僕が二度と仕事に戻らないだろうということは僕にも彼にもわかっていた。六年も一緒に働いていれば、それくらいのことはわかるようになる。

僕はビールの瓶とグラスを持ってテーブルに戻り、つづきを飲んだ。

職を失ってしまうと気持はすっきりした。僕は少しずつシンプルになりつつある。僕は街を失くし、十代を失くし、友だちを失くし、妻を失くし、あと三ヵ月ばかりで二十代を失くそうとしていた。六十になった時僕はいったいどうなっているんだろう、としばらく考えてみた。考えるだけ無駄だった。一ヵ月先のことさえわからないのだ。

僕は家に帰って歯を磨いてパジャマに着替え、ベッドに入って「シャーロック・ホームズの事件簿」のつづきを読んだ。そして十一時に電気を消してぐっすりと眠った。朝まで一度も起きなかった。

8　いわしの誕生

朝の十時に例の潜水艦みたいな馬鹿げた車がアパートの玄関に停まった。三階の窓から見下ろすと、車は潜水艦というよりは金属製のクッキーの型を伏せたみたいに見えた。三百人の子供たちがよってたかって食べるのに二週間くらいはかかろうかという巨大なクッキーが作れそうだった。僕と彼女は窓枠に腰かけてしばらく自動車を見下ろしていた。

空は気持悪いくらいくっきりと晴れていた。戦前の表現主義映画のシーンを思わせる空だった。遥《はる》か上空を飛んでいるヘリコプターが不自然なほど小さく見えた。雲ひとつない空はまるで瞼《まぶた》を切りとられた巨大な眼のようだった。

僕は部屋の窓を全部閉じて鍵をかけ、冷蔵庫のスイッチを切り、ガスの元栓を調べた。洗濯ものは全部とりこんであったし、ベッドにはカバーがかけられ、灰皿は洗われ、洗面所の膨大な数の薬品類はきちんと整理されていた。二ヵ月ぶんの家賃は前払いしてあるし、新聞も断っておいた。戸口から眺める無人の部屋は不自然なくらいしんとしていた。僕はそんな部屋を眺めながらそこで送った四年間の結婚生活について考え、僕が妻とのあいだに作っていたかもしれない子供のことを考えた。エレベーターのドアが開き、彼女が僕を呼んだ。そして僕は鉄の扉を閉めた。

運転手は我々を待っているあいだ乾いた布で夢中になってフロント・ガラスを磨いていた。車にはあいかわらずしみひとつなく、それは太陽の下で異様なくらい眩《まぶ》しく光り輝いていた。ちょっと手を触れただけで皮膚がどうにかなってしまいそうだった。

「おはようございます」と運転手は言った。おとといと同じ宗教的運転手だった。

「おはようございます」と僕は言った。

「おはようございます」と僕のガール・フレンドが言った。

彼女が猫を抱き、僕はキャットフードと便所の砂の入った紙袋を下げていた。

「素晴らしいお天気ですね」と運転手が空を見上げて言った。「なんというか、実に透きとおってます」

我々は肯《うなず》いた。

「これほど晴れていると神様からのメッセージは届きやすいんだろうね」と僕は言ってみた。

「そんなことはありませんよ」と運転手はにこにこしながら言った。「メッセージは万物の中に既にあるのです。花にも石にも雲にも……」

「車は？」と彼女が訊ねた。

「車にもあります」

「でも車は工場で作られたものだよ」と僕。

「しかし誰が作ろうと、神の意志というのは万物の中に入りこんでいるんです」

「耳だにみたいに？」と彼女。

「空気のようにです」と運転手は訂正した。

「じゃあたとえばサウジアラビアで作られた車にはアラーが入り込んでいるわけだね」

「サウジアラビアでは車は生産されておりません」

「本当に？」と僕。

「本当です」

「じゃあアメリカで作られてサウジアラビアに輸出された車にはどんな神様が入っているのかしら？」とガール・フレンドが訊ねた。

むずかしい問題だった。

「そうだ、猫のことを教えなくちゃね」と僕は助け舟を出した。

「可愛い猫ですね」と運転手もほっとしたように言った。

しかし猫は決して可愛くなかった。というよりも、どちらかといえば、その対極に位置していた。毛はすりきれたじゅうたんみたいにぱさぱさして、尻尾の先は六十度の角度にまがり、歯は黄色く、右眼は三年前に怪我したまま膿《うみ》がとまらず、今では殆んど視力を失いかけていた。運動靴とじゃがいもの見わけがつくかどうかさえ疑問だった。足の裏はひからびたまめみたいだし、耳には宿命のように耳だにがとりついていたし、年のせいで一日に二十回はおならをした。妻が公園のベンチの下からつれて帰ってきた時にはまだ若いきちんとした雄猫だったが、彼は七〇年代の後半を坂道に置かれたボウリング・ボールのように破局へ向けて急速に転り落ちていった。おまけに彼には名前さえなかった。名前のないことが猫の悲劇性を減じているのかそれとも助長しているのかは僕にはよくわからなかった。

「よしよし」と運転手は猫にむかって言ったが、さすがに手は出さなかった。「なんていう名前なんですか？」

「名前はないんだ」

「じゃあいつもなんていって呼ぶんですか？」

「呼ばないんだ」と僕は言った。「ただ存在してるんだよ」

「でもじっとしてるんじゃなくてある意志をもって動くわけでしょ？　意志を持って動くものに名前がないというのはどうも変な気がするな」

「鰯《いわし》だって意志を持って動いてるけど、誰も名前なんてつけないよ」

「だって鰯と人間とのあいだにはまず気持の交流はありませんし、だいいち自分の名前が呼ばれたって理解できませんよ。そりゃまあ、つけるのは勝手ですが」

「ということは意志を持って動き、人間と気持が交流できてしかも聴覚を有する動物が名前をつけられる資格を持っているということになるのかな」

「そういうことですね」運転手は自分で納得したように何度か肯いた。「どうでしょう、私が勝手に名前をつけちゃっていいでしょうか？」

「全然構わないよ。でもどんな名前？」

「いわしなんてどうでしょう？　つまりこれまでいわし同様に扱われていたわけですから」

「悪くないな」と僕は言った。

「そうでしょ」と運転手は得意そうに言った。

「どう思う？」と僕はガール・フレンドに訊ねてみた。

「悪くないわ」と彼女も言った。「なんだか天地創造みたいね」

「ここにいわしあれ」と僕は言った。

「いわし、おいで」と運転手は言って猫を抱いた。猫は怯《おび》えて運転手の親指をかみ、それからおならをした。

運転手は我々を空港まで車で送ってくれた。猫は助手席におとなしく座っていた。そして時々おならをした。運転手がちょくちょく窓を開けることでそれはわかった。僕は道々猫についての注意を彼に与えた。耳そうじのやり方とか便所用のデオドラントを売っている店とか餌の量とか、そういうことだ。

「安心して下さい」と運転手はいった。「ちゃんと可愛がりますよ。なにしろ私が名付け親なんだから」

道路はひどくすいていて、車は産卵期の鮭が川を溯《さかのぼ》るみたいに空港にむけてひた走った。

「どうして船には名前があって、飛行機には名前がないんだろう？」と僕は運転手に訊ねた。

「どうして971便とか326便というだけで、『すずらん号』とか『ひなぎく号』とかいう個別の名前がついてないんだろう？」

「きっと船に比べて数が多すぎるんですよ。マス・プロダクトだし」

「そうかな？　船だって結構マス・プロダクトだし、数も飛行機より多いよ」

「しかし」と言って運転手は何秒か黙った。「現実問題として都バスにいちいち名前をつけるわけにもいきませんからねえ」

「都バスにひとつひとつ名前がついていたら素敵だと思うけどな」とガール・フレンドが言った。

「しかしそうなると乗客が選り好みをするようになるのではないでしょうか？　たとえば新宿から千駄ケ谷まで行くのに、『かもしか号』なら乗るけど『らば号』なら乗らないとか」と運転手が言った。

「どう思う?」と僕はガール・フレンドに訊ねてみた。

「たしかに『らば号』なら乗らないわね」と彼女は言った。

「でもそれじゃ『らば号』の運転手が可哀そうです」と運転手が運転手的な発言をした。

『『らば号』の運転手に罪はありません」

「そうだよ」と僕は言った。

「そうね」と彼女は言った。「でも『かもしか号』に乗るわ」

「ほらね」と運転手は言った。「そういうことなんです。船に名前がついているのは、マス・プロダクトされる以前からそれに慣れ親しんできた名残りです。原理的には馬に名前をつけるのと同じですね。だから馬的に使われている飛行機にはちゃんと名前がついています。たとえば『スピリッツ・オブ・セントルイス』とか、『エノラ・ゲイ』とかね。ちゃんと意識の交流があるんです」

「ということは生命というコンセプトが根本にあるということだね」

「そうです」

「じゃあ目的性というのは名前にとっては二義的な要素なんだね?」

「そうです。目的性だけなら番号で済みます。アウシュヴィッツでユダヤ人がやられたみたいにね」

「なるほど」と僕は言った。「しかしさ、もし名前の根本が生命の意識交流作業にあるとしたらだよ。どうして駅や公園や野球場には名前がついているんだろう？　生命体じゃないのにさ」

「だって駅に名前がなきゃ困るじゃありませんか」

「だから目的的ではなく原理的に説明してほしいんだ」

運転手は真剣に考え込んで、信号が青に変ったのを見落した。後ろにつけたキャンピング・カー仕立てのハイ・エースが「荒野の七人」のイントロをもじったホーンを鳴らした。

「互換性がないからではないでしょうか。たとえば新宿駅はひとつしかありませんし、渋谷駅と取りかえるわけにはいきませんしね。互換性がないこととマス・プロダクトじゃないこと。この二点でいかがでしょうか？」運転手が言った。

「新宿駅が江古田にあると楽しいけど」とガール・フレンドが言った。

「新宿駅が江古田にあれば、それは江古田駅です」と運転手が反論した。

「でも小田急線も一緒についてくるのよ」と彼女が言った。

「話をもとに戻そう」と僕は言った。「もし駅に互換性があったらどうする？　もしだよ、もし国電の駅が全部マス・プロダクトの折りたたみ式で新宿駅と東京駅がそっくり交換できるとしたら？」

「簡単です。新宿にあればそれは新宿駅で、東京にあれば、それは東京駅です」

「じゃあそれは物体についた名前ではなく、役割についた名前ということになるね。それは目的性じゃないの？」

運転手は黙った。しかし今回の沈黙はそれほど長くは続かなかった。

「私はふと思うのですが」と運転手は言った。「我々はそのようなものに対してもう少し暖かい目を注いでやるべきではないでしょうか？」

「というと？」

「つまり街やら公園やら通りやら駅やら野球場やら映画館やらにはみんな名前がついてますね。彼らは地上に固定された代償として名前を与えられたのです」

新説だった。

「じゃあ」と僕は言った。「たとえば僕が意識を完全に放棄してどこかにきちんと固定化されたとしたら、僕にも立派な名前がつくんだろうか？」

運転手はバックミラーの中の僕の顔をちらりと見た。どこかに罠《わな》がしかけられているんじゃないだろうかといった疑わしそうな目つきだった。「固定化といいますと？」

「つまり冷凍されちゃうとか、そういうことだよ。眠れる森の美女みたいにさ」

「だってあなたには既に名前があるでしょう?」

「そうだね」と僕は言った。「忘れてたんだ」

我々は空港カウンターで搭乗券をもらってからついてきた運転手にさよならを言った。彼は最後まで見送りたそうだったが、出発までにはまだ一時間半もあったのであきらめてひきあげた。

「ずいぶん変った人ね」と彼女は言った。

「ああいう人ばかりが住んでいる場所があるんだよ」と僕は言った。「そこでは乳牛がやっとこを探しまわってるんだ」

「なんだか『峠の我が家』みたいね」

「そうかもしれない」と僕は言った。

我々は空港のレストランに入って早めの昼食をとった。僕は海老のグラタンを注文し、彼女はスパゲティーを注文した。窓の外を７４７やトライスターがある種の宿命を想わせる荘重さで上がったり下りたりしていた。彼女はスパゲティーを疑わしげに一本一本点検しながら食べていた。

「飛行機の中で食事が出るんだとばかり思っていたわ」と不服そうに彼女は言った。

「いや」と言って、僕はグラタンのかたまりを口の中で少しさましてから呑みこみ、すぐに冷たい水を飲んだ。ただ熱いだけで味なんて殆《ほと》んどしなかった。「機内食が出るのは国際線だよ。国内線だってもっと長い距離なら弁当くらい出ることもあるけどね。でもそれほど美味《うま》いものでもないよ」

「映画は？」

「ないよ。だって札幌までなら一時間と少しでついちゃうもの」

「じゃあ何もないじゃない」

「何もないよ。座席に座って本を読んでると目的地に着くんだ。バスと同じさ」

「信号がないだけね」

「うん、信号はない」

「やれやれ」と言って彼女はため息をついた。そしてスパゲティーを半分残してフォークを置き、紙ナプキンで口もとを拭いた。「名前なんてつけるまでもないじゃない」

「そうだね。退屈なもんだよ。時間がずっと短かくてすむってことだけだ。汽車で行くと十二時間はかかるからね」

「それでその余った時間はどこに行ったの？」

僕もグラタンを途中であきらめ、コーヒーを二杯注文した。「余った時間？」

「だって飛行機のおかげで十時間以上も時間が節約できたんでしょ？　それだけの時間はいったいどこに行ったの？」

「時間はどこにも行かない。加算されるだけだよ。我々はその十時間を東京なり札幌なりで好きに使うことができるんだ。十時間あれば映画を四本観《み》て、二回食事できる。そうだろ？」

「映画も観たくないし、食事もしたくなければ？」

「それは君の問題だよ。時間のせいじゃない」

彼女は唇をかんで、しばらく747のずんぐりした機体を眺めていた。僕も一緒にそれを眺めた。747はいつも僕に昔近所に住んでいた太った醜いおばさんを思い出させる。はりのない巨大な乳房とむくんだ足、かさかさした首筋。空港は彼女たちの集会場みたいに見えた。何十人ものそういったおばさんたちが次々にやってきては去っていった。首筋をしゃんとのばして空港ロビーを行ったり来たりしているパイロットやスチュワーデスは、彼女たちに影をもぎとられたみたいに奇妙に平面的にみえた。DC7やフレンドシップの時代にはそんなことはなかったような気がしたが、本当にそうなのかどうかは僕には思い出せなかった。おそらく747が太った醜いおばさんに似てるせいで、ついそんな気がするのだろう。

「ねえ、時間は膨張するの？」と彼女は僕に訊ねた。

「いや、時間は膨張しない」と僕は答えた。自分でしゃべったはずなのに、まるで自分の声には聞こえなかった。僕は咳払いして、運ばれてきたコーヒーを飲んだ。「時間は膨張しない」

「でも実際には時間は増えてるじゃない。あなたも言ったように加算されてるわ」

「移動に要する時間が減ったというだけのことさ。時間の総量は変らない。ただたくさん映画を観ることができるというだけだよ」

「もし映画を観たければね」と彼女は言った。

実際には我々は札幌に着くとすぐに二本立ての映画を観た。

（下巻に続く）

羊《ひつじ》をめぐる冒険《ぼうけん》(上)
村上春樹《むらかみはるき》

2004年11月15日第1刷発行
2016年5月9日第37刷発行

発行者――鈴木 哲
発行所――株式会社 講談社
東京都文京区音羽2-12-21 〒112-8001
電話 出版 (03) 5395-3510
販売 (03) 5395-5817
業務 (03) 5395-3615

Printed in Japan

講談社文庫
定価はカバーに表示してあります

デザイン―菊地信義
製版――豊国印刷株式会社
印刷――豊国印刷株式会社
製本――株式会社国宝社

ISBN4-06-274912-2

講談社文庫刊行の辞

二十一世紀の到来を目睫に望みながら、われわれはいま、人類史上かつて例を見ない巨大な転換期をむかえようとしている。

世界も、日本も、激動の予兆に対する期待とおののきを内に蔵して、未知の時代に歩み入ろうとしている。このときにあたり、創業の人野間清治の「ナショナル・エデュケイター」への志を現代に甦らせようと意図して、われわれはここに古今の文芸作品はいうまでもなく、ひろく人文・社会・自然の諸科学から東西の名著を網羅する、新しい綜合文庫の発刊を決意した。

激動の転換期はまた断絶の時代である。われわれは戦後二十五年間の出版文化のありかたへの深い反省をこめて、この断絶の時代にあえて人間的な持続を求めようとする。いたずらに浮薄な商業主義のあだ花を追い求めることなく、長期にわたって良書に生命をあたえようとつとめるところにしか、今後の出版文化の真の繁栄はあり得ないと信じるからである。

同時にわれわれはこの綜合文庫の刊行を通じて、人文・社会・自然の諸科学が、結局人間の学にほかならないことを立証しようと願っている。かつて知識とは、「汝自身を知る」ことにつきていた。現代社会の瑣末な情報の氾濫のなかから、力強い知識の源泉を掘り起し、技術文明のただなかに、生きた人間の姿を復活させること。それこそわれわれの切なる希求である。

われわれは権威に盲従せず、俗流に媚びることなく、渾然一体となって日本の「草の根」をかたちづくる若く新しい世代の人々に、心をこめてこの新しい綜合文庫をおくり届けたい。それは知識の泉であるとともに感受性のふるさとであり、もっとも有機的に組織され、社会に開かれた万人のための大学をめざしている。大方の支援と協力を衷心より切望してやまない。

一九七一年七月

野間省一

深木《みき》章子《あきこ》　鬼畜の家
深木章子　衣更月《きさらぎ》家の一族
深木章子　螺旋《らせん》の底
深志美由紀《みゆき》　美食の報酬
三木笙子　百年の記憶〈哀しみを刻む石〉
村上　龍　海の向こうで戦争が始まる
村上　龍　アメリカン★ドリーム
村上　龍　ポップアートのある部屋
村上　龍　走れ！タカハシ
村上　龍　愛と幻想のファシズム(上)(下)
村上　龍　村上龍全エッセイ〈1976～1981〉
村上　龍　村上龍全エッセイ〈1982～1986〉
村上　龍　村上龍全エッセイ〈1987～1991〉
村上　龍　超電導ナイトクラブ
村上　龍　イビサ
村上　龍　長崎オランダ村
村上　龍　フィジーの小人
村上　龍　368Y Par4 第2打
村上　龍　音楽の海岸

村上　龍　村上龍料理小説集
村上　龍　村上龍映画小説集
村上　龍　ストレンジ・デイズ
村上　龍　共生虫
村上　龍　新装版 限りなく透明に近いブルー
村上　龍　新装版 コインロッカー・ベイビーズ
村上　龍　歌うクジラ(上)(下)
村上　龍／坂本龍一　EV.Café——超進化論
向田邦子　新装版 眠る盃
向田邦子　新装版 夜中の薔薇
村上春樹　風の歌を聴け
村上春樹　1973年のピンボール
村上春樹　羊をめぐる冒険(上)(下)
村上春樹　カンガルー日和
村上春樹　回転木馬のデッド・ヒート
村上春樹　ノルウェイの森(上)(下)
村上春樹　ダンス・ダンス・ダンス(上)(下)
村上春樹　遠い太鼓
村上春樹　国境の南、太陽の西

村上春樹　やがて哀しき外国語
村上春樹　アンダーグラウンド
村上春樹　スプートニクの恋人
村上春樹　アフターダーク
村上春樹／佐々木マキ絵　羊男のクリスマス
村上春樹／佐々木マキ絵　ふしぎな図書館
村上春樹／糸井重里　夢で会いましょう
村上春樹・文／安西水丸・絵　ふわふわ
U・K・ル＝グウィン／村上春樹訳　空飛び猫
U・K・ル＝グウィン／村上春樹訳　帰ってきた空飛び猫
U・K・ル＝グウィン／村上春樹訳　素晴らしいアレキサンダーと、空飛び猫たち
U・K・ル＝グウィン／村上春樹訳　空を駆けるジェーン
T・ファリッシュ著／B・ルート絵／村上春樹訳　ポテト・スープが大好きな猫
群ようこ　濃い人々〈いとしの作中人物たち〉
群ようこ　いいわけ劇場
群ようこ　浮世道場
群ようこ　馬琴の嫁
室井佑月　Piss《ピス》
室井佑月　子作り爆裂伝

室井佑月　ママの神様
室井佑月／丸山あかね　プチ美人の悲劇
村山由佳　すべての雲は銀の…(上)(下)
村山由佳　永遠。
村山由佳　天翔る
室井滋　ふぐママ
室井滋　心ひだひだ
室井滋　うまうまノート
室井滋　気になり飯《めし》〈うまうまノート②〉
村野薫　死刑はこうして執行される
睦月影郎　義姉《あね》〈武芸者　冴木澄香〉
睦月影郎　有情《うじょう》〈武芸者　冴木澄香〉
睦月影郎　忍《しのび》萌《もえ》
睦月影郎　変《かわり》萌《もえ》
睦月影郎　卍《まんじ》萌《もえ》
睦月影郎　甘《あま》蜜《みつ》三《ざん》昧《まい》
睦月影郎　平成好色一代男　独身娘の閨屋
睦月影郎　平成好色一代男　清純コンパニオンの好奇心
睦月影郎　平成好色一代男　和装セレブ妻の香り
睦月影郎　新・平成好色一代男　秘伝の書
睦月影郎　新・平成好色一代男　元部下のOL
睦月影郎　新・平成好色一代男　隣人と。女子アナと。
睦月影郎　帰ってきた平成好色一代男　一の巻
睦月影郎　平成好色一代男　占女《せんにょ》楽天編
睦月影郎　帰ってきた平成好色一代男　完結編
睦月影郎　武家娘〈明暦江戸隠密控〉
睦月影郎　Gのカンバス
睦月影郎　密通妻
睦月影郎　姫《ひめ》遊《なそび》
睦月影郎　肌《はだ》褥《しとね》
睦月影郎　影《かげ》舞《まい》
睦月影郎　傀《く》儡《ぐつ》舞《まい》
睦月影郎　とろり蜜姫・掛け乞い〈睦月影郎傑作選〉
睦月影郎　卒業一九七四年
向井万起男　渡る世間は「数字」だらけ
向井万起男　謎の1セント硬貨〈真実は細部に宿る in USA〉
村田沙耶香　授乳
村田沙耶香　マウス
村田沙耶香　星が吸う水
森村誠一　暗黒流砂
森村誠一　殺人の花客
森村誠一　ホームアウェイ
森村誠一　殺人のスポットライト
森村誠一　殺人プロムナード
森村誠一　流星の降る町〈『星の町』改題〉
森村誠一　完全犯罪のエチュード
森村誠一　影の祭り
森村誠一　殺意の接点
森村誠一　レジャーランド殺人事件
森村誠一　殺意の逆流
森村誠一　情熱の断罪
森村誠一　残酷な視界
森村誠一　肉食の食客
森村誠一　死を描く影絵
森村誠一　エネミイ
森村誠一　深海の迷路
森村誠一　マーダー・リング

2016年3月15日現在